Cofio RS

Cleniach yn Gymraeg?

GWASG Y BWTHYN

Argraffiad cyntaf: 2013

© Gwasg y Bwthyn

ISBN: 978-1-907424-44-1

Dyfyniadau o gerddi R.S. Thomas a darluniau o waith Elsi Eldridge trwy garedigrwydd Kunjana Thomas.

Manylion y cerddi a ddyfynnwyd ohonynt yn y gyfrol:
Iago Prydderch (Poetry for Supper, 1958)
Balance (Frequencies, 1978)
Tidal (Mass for Hard Times, 1992)
A Marriage (Mass for Hard Times, 1992)
Evans (Poetry for Supper, 1958)
Reservoirs (Not That He Brought Flowers, 1968)
© Kunjana Thomas 2001

Rhagair a'r penodau, Drwy'r 'clebran a'r manion bethau', Cymysgfa o Atgofion, Cyfaill a Gwladgarwr, Yma o hyd, Gŵr rhyfedd a rhyfeddol ⓑ Canolfan Hanes Uwchgwyrfai.

Cofio Penyberth a Wynebu'r Mewnlifiad ⓑ Geraint Jones.

Darluniau Elsi Eldridge o gasgliadau preifat, ar wahân i Red Admirals, Buttercups and Grasses 1962 a gyhoeddir trwy garedigrwydd Ymddiriedolaeth Castell Bodelwyddan / Ymddiriedolaeth Celfyddydau Cain Clwyd.

Ffotograffau trwy garedigrwydd awduron y penodau a'r ffotograffwyr canlynol:
Martin Roberts – clawr blaen, clawr cefn, 6, 18, 76 – 77, 107, 110, 131
Iestyn Hughes – 32, 65, 66 – 67, 79, 100, 105, 109, 123, 137, 138 - 139
Howard Barlow – 23, 143
TopFoto – 31, 96 – 97
Colin Molyneux – 114 – 115, 140 - 141
Jeff Morgan – 88 – 89
Tudalen 85 - Llun: Geoff Charles. Darparwyd gan Llyfrgell Genedlaethol Cymru.

Llun clawr: Martin Roberts
Dylunio: www.elgangriffiths.com

Argraffwyd a rhwymwyd yng Nghymru gan Wasg Gomer, Llandysul, Ceredigion.

Diolch

Diolch i bawb sydd wedi rhoi o'u hamser i gyfrannu at y llyfr hwn, yn arbennig Gareth Neigwl am ei waith diwyd a diffuant yn hel yr holl ddeunydd at ei gilydd.

Diolch i Ganolfan Hanes Uwchgwyrfai am ganiatáu i ni gynnwys y darlithoedd am R.S. a gafodd eu traddodi yno, a diolch yn arbennig i Geraint Jones am ei holl frwdfrydedd ac am ei waith yn golygu'r llyfr.

Diolch i Ganolfan Astudiaeth R.S. Thomas, Prifysgol Bangor, am gael benthyg llun y clawr blaen.

Diolch, hefyd, i Kunjana Thomas am ei garedigrwydd yn caniatáu i ni ddyfynnu rhai o gerddi R.S. a chynnwys lluniau yn y gyfrol sy'n perthyn i stad y teulu.

Diolch i Iestyn Hughes, Atgof, am ei gymorth gyda'r dasg o gasglu'r lluniau ynghyd.

Diolch i Gwyn Jones, Oriel Glyn y Weddw, am ei gyngor a'i gydweithrediad.

 # Cynnwys

Rhagair

Egin y gyfrol arbennig hon oedd cyfarfod nodedig iawn a gynhaliwyd gan Ganolfan Hanes Uwchgwyrfai yn ei chartref yn yr Ysgoldy yng Nghlynnog Fawr yn Arfon ar 27 Ebrill 2011 i gofio degawd ers marwolaeth y bardd, y gwladgarwr a'r gweledydd, R. S. Thomas. Roedd yr Ysgoldy dan ei sang ar y noson a'm braint innau, fel Cadeirydd y Ganolfan Hanes, oedd agor y cyfarfod. Braint gyffelyb yw cyfrannu'r rhagair i'r gyfrol hon a phleser yma hefyd yw cyfeirio at y cydweithio a fu rhwng Canolfan Hanes Uwchgwyrfai a Gwasg y Bwthyn wrth ei llunio.

Cyhoeddir y gyfrol hon wrth i ninnau gofio a dathlu canmlwyddiant geni R.S. Thomas eleni. Dros y blynyddoedd cyhoeddwyd toreth o ddeunydd ar R.S. y bardd; cafwyd cofiannau iddo a chyhoeddodd yntau hunangofiant dadlennol ac ysgrifau o natur hunangofiannol. Ond, yn y llyfr hwn gwelir ei ddiosg o'i fantell bardd i raddau helaeth a'i wisgo â'i fantell ddynol, ei fantell wlatgar, ei fantell broffwydol. Oherwydd yr hyn a geir yma yw portreadau byw, gonest a chynnes o R.S., o'r dyn ei hun, y cenedlgarwr, y cyfaill ac, yn wir, y cesyn, a hynny gan bobl oedd â chysylltiadau amrywiol ag o, pobl a'i hadnabu'n dda. Cawn fwynhau eu hatgofion a'u doethineb, a blasu ambell gyfrinach yn ogystal.

Yn y cyfraniadau amrywiol hyn fe'n harweinir yn ôl, yn bennaf, chwarter canrif a rhagor i saithdegau, wythdegau a nawdegau'r ugeinfed ganrif pan oedd y bardd yn troedio erwau gwlad Llŷn. A chofier mai fel 'Bardd' yr oedd ei gyfeillion agosaf yn ei adnabod ac, yn wir, yn ei gyfarch! Cyrhaeddodd y Parchedig Ronald Stuart Thomas gantref tawel, heddychlon Llŷn fel huddug i botas ac fe ddiflannodd ohono hefyd yr un mor ddisymwth. Dyma'r cyfnod, wrth gwrs, pan oedd R.S. wedi ymgartrefu yn Aberdaron gan weinidogaethu fel person y plwyf. Yna symudodd i'w fwthyn yn Y Rhiw, gan fwynhau bywyd gwyllt – yn arbennig adar – yr hen gantref, a hefyd dynnu sawl nyth cacwn yn ei ben. Oherwydd y rhain oedd y blynyddoedd pan deimlwyd rhyferthwy enbyd y mewnlifiad o'r dwyrain a'i effeithiau difaol ar y broydd Cymraeg, blynyddoedd hanner canmlwyddiant y 'Tân Anfarwol' yn Llŷn a'r bardd ar y llwyfan yn galw am sefydlu 'byddin gudd'!

Yn y noson arbennig yng Nghlynnog y cyfeiriwyd ati uchod cafwyd cyflwyniadau amrywiol gan bedwar o gyfeillion y diweddar fardd, sef Geraint Jones, Gareth Williams (Gareth Neigwl), Alwyn Pritchard a Robyn Léwis. Mae'r atgofion hynny wedi'u cynnwys yn y gyfrol hon, ynghyd â chyfraniadau gan gyfeillion a chymdogion eraill i R.S., yn ogystal â phennod ar ei farddoniaeth a'i fywyd gan yr Athro Gwyn Thomas. Yr hyn a ddaw i'r amlwg yn eu hysgrifau yw gŵr unplyg ond cymhleth, yn llawn paradocsau, gŵr eofn a chadarn a chwbl ddiflewyn-ar-dafod. Gallai fod yn sarrug ei drem gan godi ofn yn wir ar ambell un, eto ar y llaw arall roedd yn ffraethach nag a feddyliodd ei blwyfolion erioed. Ni faliai fotwm corn am boblogrwydd, ond maliai lawer am gyfeillgarwch ei ffrindiau agosaf. Daw'r elfennau hyn i gyd, a mwy, i'r amlwg yn y gyfrol glodwiw hon ac rwy'n siŵr y cewch chithau, ddarllenwyr, gryn bleser a boddhad wrth gael golwg a gogwydd newydd ar fywyd gŵr nodedig ac un o Gymry amlycaf yr ugeinfed ganrif.

Dawi Griffiths

RST – Bangor

11 Mai, 2013

Rhai o straglars y ffydd,
Hytrach yn hynafol,
A drodd ar y dydd
Oddi ar strydoedd Bangor
I mewn i'r Eglwys Gadeiriol gyda'r pwrpas
O ddathlu gwaith a bywyd R. S. Thomas.

A chlywsant, rhwng hen feini yno,
Am ymbalfalu ysbrydol
I geisio amgyffred y Dwyfol
Sydd, fe ddywedwyd, yn ei dawelwch,
Yn anweledig a mud ac absennol.

Ond, wrth wrando geiriau'r bardd,
I rai ymrithiodd yno
Ryw fodolaeth a deimlai fel petai
Hi'n ymdrechu i'n cyrraedd ni
O'r tawelwch tragwyddol,
Gan ei dehongli ei hun
Fel cariad anorchfygol,
Fel presenoldeb yr absennol.

Ac i rai yr oedd hi'n demtasiwn i deimlo
Nad cynnyrch mymbo-jymbo
Oedd y rhywbeth a smiciodd ennyd yno,
Mor ddirgelaidd-annisgwyl â glöyn byw,
Cyn pasio wedyn heibio.

Gwyn Thomas

Bywyd a gwaith

Gwyn Thomas

Yn gyntaf, ychydig ffeithiau: ganwyd Ronald Stuart Thomas yn 1913, yng Nghaerdydd, ond yng Nghaergybi y cafodd ei fagu. Yn yr ysgol yr oedd yn gryn athletwr, ac yn ddiweddarach yr oedd yn chwaraewr rygbi. Bu'n fyfyriwr, i ddechrau, yng Ngholeg Prifysgol Gogledd Cymru, Bangor, lle bu'n astudio'r Clasuron, ac yna yng Ngholeg Sant Mihangel, Llandaf, lle bu'n ei baratoi ei hun ar gyfer bod yn offeiriad (1932 - 36). Bu'n gwasanaethu mewn amryw blwyfi: yn Y Waun a gororau gogledd Cymru (1936 - 42); ym Manafon, yn Sir Drefaldwyn (1942 - 54); yn Eglwys-fach, yng Ngheredigion, (1954 - 67); ac yna yn Llŷn, yn Aberdaron, Bodferin, Y Rhiw a Llanfaelrhys, (1967 - 78). Yn 1940 fe briododd Mildred Elsi Eldridge, a oedd yn artist medrus a llwyddiannus. Bu hi farw yn 1991. Ganwyd iddynt un mab, Gwydion, yn 1945. Priododd am yr ail waith gyda Betty Vernon yn 1996. Bu R.S. farw ym mis Medi, 2000. Fe'i magwyd yn ddi-Gymraeg, ac ym Manafon y dechreuodd ddysgu'r iaith o ddifrif gan fynd, yn y diwedd, i Lŷn i loywi ei fedr.

Yn ei fri roedd R.S. yn ŵr talgryf, ffit a gwydn, yn gerddwr cadarn, heblaw pan fyddai'n oedi – yn hir iawn, weithiau – i wylio rhyw aderyn arbennig. Yr oedd golwg lym arno, yn wir golwg led sarrug ar brydiau, ac oherwydd ei agwedd gwbl ddi-dderbyn-wyneb a digymrodedd gallai godi ofn braidd ar rai. Fe gofiaf un hanesyn amdano'n mynd i brifysgol yn Lloegr i ddarllen ei farddoniaeth; 'cyn pen deng munud roedd wedi mynd *i fyny trwynau'r* rhan fwyaf o'i gynulleidfa,' oedd sylw un a oedd yno. Flynyddoedd yn ôl fe'm cefais fy hun yn bwrw'r Sul yn ei gwmni o a phobl flaenllaw eraill yng Ngregynog. Yr adeg honno roeddwn i'n un a oedd mewn parchedig ofn ohono, gan ryw led-dybio y gallai fod – fel y dywedais o'r blaen – yn berthynas o bell i Ysbaddaden (= miaren) Bencawr. Ond wrth eistedd yn y lolfa ar ôl swper un noson, ac R.S. yn eistedd wrth ochr y foneddiges fywiog honno, Dora Herbert Jones, fe ddad-fiarwyd yr Ysbaddaden ganddi hi. Ar ôl iddi ofyn cwestiwn iddo, ac iddo yntau led-wenu a pheidio ag ateb, dyma hi'n rhoi pwniad ysgafn iddo ar ei ben-glin ac yn dweud wrtho, *'Come on now, Ronald,'* fel petai o'n fachgen ysgol gynradd. Ar ôl hynny roedd R.S., i mi, yn yr un cwch â phawb arall ohonom ni. Ond doedd o ddim yn un y gallai neb fynd ato a'i daro ar ei gefn a'i gyfarch fel 'Byti'. O ddod i'w adnabod, fe wyddai ei gyfeillion am ei wên dawel, a'r fflach yn ei lygaid wrth iddo ddweud rhywbeth doniol a bachog. A phwy, mewn difrif, a allai fod mewn braw o gwbl o ddyn a allai wneud sgons fel fo. Ei sylw ysmala amdano'i hun oedd, 'Maen nhw'n dweud fy mod i'n gleniach yn Gymraeg.'

Ar ôl iddo gyrraedd Llŷn, fe fu mwy nag un sylw am ei ddiffyg hawddamor cymdcithasol. Rhywbeth yn debyg i hyn oedd y sylwadau: 'Cym'rwch chi'r ficar newydd yma yntê – dyn clyfar, dydw i ddim yn dweud ...' ac unwaith y clywch chi'r 'dydw i ddim yn dweud' yma fe wyddoch fod yna amodi go galed i ddilyn, 'ond mi pasith chi ar y ffordd heb gymryd unrhyw sylw ohonoch chi.'

Wedyn, dyna'i ymroddiad dros y Gymraeg, gan fynnu ei dysgu hi, yn ddyn yn ei fan, a'i safiad di-ofn drosti, a'i ofid am na allai gyfansoddi barddoniaeth Gymraeg   cyngor gan Saunders Lewis i beidio â phoeni o gwbl am hynny a ddaeth â rhywfaint o gysur iddo ar y mater yna. Ond dyma, hefyd, un a anfonodd ei fab i ysgol breswyl Saesneg i fod yn ddi-Gymraeg. Pobl hy Llŷn eto a fentrai ddweud wrtho, o glywed am ei ymlyniad wrth Betty Vernon, 'R.S., be ydi hyn: yr holl stŵr yma efo'r iaith, ac eto priodi dynes ddi-Gymraeg!' 'A!,' oedd ateb honedig R.S., 'Mae pethau'n wahanol lle y mae serch yn y cwestiwn.' Y mae'r ateb yn peri i rywun amau fod y gŵr hwn, a oedd dros ei bedwar ugain oed, yn tynnu coes cyfeillion Llŷn.

Sôn yn gyffredinol a gor-syml iawn am farddoniaeth R.S. sy'n bosib yma. Y mae ei farddoniaeth gynnar yn ymwneud â bywyd amaethyddol caled a phobl wledig Manafon. Y gerdd fwyaf adnabyddus sy'n cynrychioli'r cyfnod hwn ydi 'Iago Prydderch', y gwladwr syml sydd, er hynny, yn troi'n symbol o fodolaeth arw'r ddynoliaeth:

> ... your dark figurc
> Marring the simple geometry
> Of the square fields with its gaunt question.

Y mae rhywun yn cael y teimlad fod taro ar erwindeb a budreddi bywyd amaethyddol wedi bod yn sioc i gyfansoddiad diheintiedig R.S., fel gŵr dosbarth canol. All o ddim peidio â sylwi ar agwedd anifeilaidd pobl cefn gwlad. Y mae yna rywbeth brawychus, ac eto cydymdeimladol, yn ei bortread o 'Evans', a oedd yn ŵr gwael:

> It was not the dark filling my eyes
> And mouth appalled me; not even the drip
> Of rain like blood from the one tree
> Weather-tortured. It was the dark
> Silting the veins of that sick man
> I left stranded upon the vast
> And lonely shore of his bleak bed.

Yn y cyfnod cynnar, hefyd, fe welwn bryder am ddylanwad materoliaeth a diwydiannaeth ar y byd naturiol, ac ar bobl: y 'machine', chwedl yntau, ydi'r gair sy'n cynrychioli hyn.

Yn hanner cyntaf ei yrfa fe gawn ei fod yn ystyried ystad ei genedl, a'i wlad, hefyd. Y gerdd fwyaf adnabyddus am hyn ydi 'Reservoirs', cerdd eithriadol o feirniadol o'r rhai sy'n creu'r llynnoedd a'r bobl sy'n caniatáu i'w tiroedd gael eu boddi:

> Where can I go, then, from the smell
> Of decay, from the putrifying of a dead
> Nation?

Fe welir fod yma, fel yn amryw o'r cerddi 'gwledig', greu ymateb trwy gyfeirio synhwyrus-lym at fudreddi a madru, y math o beth a geir yn arswydus o gryf ar brydiau yng ngwaith Jonathan Swift.

Yng ngwaith diweddarach R.S. fe geir ymchwil ysbrydol, onest iawn am Dduw, yn enwedig y Duw cuddiedig. Ceir myfyrdod athronyddol-ddwfn, onid cyfriniol ar brydiau, yn ei waith gan un oedd yn gwybod am ddarganfyddiadau rhyfeddol ym myd gwyddoniaeth a seryddiaeth. Y mae'r ymchwil yn gymysg o agoni ysbrydol a chryn dipyn o iaith wyddonol. Dyna'i gerdd 'Balance', er enghraifft:

Above and
beyond there is the galaxies'
violence, the meaningless wastage
of force.

A oes yna le i'r ysbryd yn y bwrlwm hwn o egnïon?

Is there time
on this brief platform for anything
other than mind's failure to explain itself?

Yn y canu hwn fe geir sôn am absenoldeb Duw, tywyllwch, a dibyn
bodolaeth. Ond fe â'r ymchwil yn ei blaen, fel y dywed yn y gerdd 'Tidal',
lle sonnir am ymchwil y bardd am Dduw fel llanw a thrai:

Let despair be known
as my ebb-tide; but let prayer
have its springs, too, brimming,
disarming him; discovering somewhere
among his fissures deposits of mercy
where trust may take root and grow.

Y mae un peth yng ngwaith R.S. sydd, er yn gynnar iawn, yn drawiadol,
a hynny ydi'r ffordd y mae o'n torri ei linellau, gan dynnu egni o ystyr a
theimlad o'r ffordd y gwna hynny. Fe gryfhaodd yr egni hwn sy'n deillio
o'i ffordd o dorri ei linellau trwy gydol ei yrfa fel bardd – doedd rhai
beirniaid Saesneg, meddai, ddim yn gallu gwerthfawrogi hyn. Trwy ei
yrfa bu ei eiriau'n elfennaidd gryf, yn esgyrnog o bwerus, yn ogystal â
rhyfeddol o drosiadol – fe'i clywais yn dweud, un tro, mai trwy drosiadau
y mae crefydd yn llefaru.

Fe orffennaf trwy gyfeirio at un gerdd serch, gyda'r dyneraf, y darfu i'r R.S.
llym ei fynegiant synnu ei ddarllenwyr â hi, sef 'A Marriage', sy'n sôn amdano
fo a Mildred Eldridge yn cyfarfod, yn byw ynghyd, ac yna hi'n marw:

A Marriage

And she,
who in life
had done everything
    with a bird's grace,
opened her bill now
    for the shedding
of one sigh no
    heavier than a feather.

Drwy'r 'clebran a'r manion bethau'

Gareth Neigwl

Gwn yn dda fod un wedd i'm cyngymydog yn ennyn cyhoeddusrwydd, a gwedd arall yn cadw pobl hyd braich. Roedd iddo hynodrwydd a rhyw ogwydd at uchelaelwriaeth hefyd ar adegau. Boed hynny fel y bo, yn Rhos Neigwl roedd R.S. yn un ohonom, ac mae hi'n rhyfedd iawn yma hebddo. Mae gorfod derbyn na ddaw cyfnod y dyddiau difyr hynny, pan alwai yma fel y mynnai, fyth yn ôl, yn dal hyd yn oed heddiw, bron ugain mlynedd yn ddiweddarach, yn codi teimlad o chwithdod ynof.

Efallai fy mod yn methu, ond synhwyrwn ym mhob cyfarfyddiad fu rhyngom wedi iddo symud oddi yma, nad oedd mor hapus ag y bu. Cawn yr argraff fod y newid cartref parhaus ddaeth i'w ran yn ystod ei flynyddoedd olaf yn ei lethu. Er na ddywedodd hynny'n blaen, teimlwn ei fod yn awgrymu ambell dro na ddylai fod wedi mynd oddi yma erioed.

Daeth y cyfnod sydd gennyf dan sylw i ben yng ngwanwyn 1994, pan alwodd R.S. yma, a datgelu ei fod o a Beti, a ddaeth ymhen tipyn yn ail wraig iddo, am symud i Lanfair-yng-Nghornwy. Roedd Beti wedi cael codwm ar un o rigolau anwastad y llwybr rhwng y drws a'r lôn yn Sarn Rhiw, ac meddai R.S. 'Dydy Sarn ddim yn gweddu i Beti. Mae'i merch yn gwrthwynebu iddi aros acw,' a'r awgrym o wên ar ei wyneb yn gwneud i mi feddwl nad oedd y ferch erioed wedi crybwyll hynny! 'Tro crwn, yn ôl at y gwreiddiau' oedd ffordd gellweirus R.S. o ddisgrifio'r mudo hwnnw. Cyfeiriai, wrth reswm, at y ffaith nad oedd Llanfair-yng-Nghornwy nepell o Gaergybi, man ei fagwraeth.

Roedd R.S. yn llanc am yr eildro yn ei fywyd, wedi gwirioni hefo Beti, ar ddechrau cyfnod newydd, a'i lygaid tua Môn a thŷ a oedd dafliad carreg o atomfa'r Wylfa. Yn wir, gallech weld yr 'anghenfil hwnnw, lle i gadw'n ddigon pell oddi wrtho' (disgrifiad R.S. ar sgwrs rywdro) o ffenestr ei ddarpar gartref. Roedd hi'n ormod o demtasiwn i mi beidio tynnu ei goes, drwy awgrymu bod cariad yn rhoi golwg wahanol ar bethau! Gallai'r hen ymgyrchwr gwrth-niwclear selog oddef y cellwair, a'i fwynhau hefyd!

Wedi'r mudo, fe gadwyd cysylltiad, a chofiaf i Rhian a minnau dreulio noswyl Nadolig '94 a '95 yng nghwmni difyr y ddau ar eu haelwyd. Ond

nid yr hen R.S. chwaith. Roedd hwnnw'n dal i frasgamu dros draeth Porth Neigwl, Mynydd Anelog a choed Rhydbengan hefo'i sbenglas am ei wddf. Daliai hefyd i lenwi piser yn ei gôt oel ddu, o'r golwg bron yng nghloddiau'r lôn, ar dymor mwyar. Ar un o'r prynhawniau hel mwyar oddeutu 1979, fel hyn y bu, yn ôl R.S.:

Roeddwn i wrthi'n brysur oherwydd bod Elsi a minnau am wneud rhagor o jam, pan glywais i gerbyd yn aros. Hm, meddwn i wrthyf fy hun, rhyw Sais ar goll eto, ac eisiau cyfarwyddiadau, ac yn disgwyl i mi droi i'r Saesneg i'w rhoi nhw iddo fo. Pam y dylwn i droi i'r Saesneg, meddyliais, a phenderfynais ei anwybyddu. Gallwn glywed drws y modur yn agor a llais y Sais yn fy nghyfarch, ond chymerais i'r un sylw ohono, dim ond cario ymlaen i gasglu. Ceisiodd y Sais eto heb lwyddiant, yna synhwyrais ei fod yn cerdded tuag ataf. Cyffyrddodd fy mraich gan holi a oedd fy nghlyw yn dirywio. Wyddoch chi pwy oedd yna? Fy ffrind gorau o ddyddiau Eglwys-fach! A minnau heb sylweddoli hynny!

Am gyfnod maith, fyddai hi ddim yn nos Wener rywfodd yn Rhydbengan heb iddo daro heibio. Yn wir, galwai ar ambell noson arall hefyd, a hynny heb unrhyw reswm amlwg, dim ond galw i sgwrsio. Ond roedd nos Wener yn wahanol, oherwydd mai hon oedd ei noson nôl wyau, cynnyrch yr ieir pen domen yr arferwn eu cadw. Ar nos Wener hefyd, byddai'r daliad yn un hwy, ac yntau'n gwybod nad oedd yn rhaid i mi godi mor gynnar ar fore Sadwrn.

Cyrhaeddai yn ddieithriad tua naw, a fyddai o byth yn meddwl ei throi hi tan oddeutu hanner awr wedi hanner i un o'r gloch y bore. Anelai am yr un gadair bob tro, yn y lle poethaf yn y gegin, wrth ymyl yr Aga. Dyfalwn innau sut ar y ddaear y gallai oddef y gwres, oherwydd cawn Sarn Rhiw yn dŷ anhraethol o oer, yn enwedig yr hen ran ohono. Cofiaf alw yno ar noson rewllyd o Dachwedd. Roedd Elsi wedi neilltuo i ystafell arall, tra sgwrsiwn i ac R.S. o boptu'r simdde fawr, nad oedd yn tynnu'n rhy dda oherwydd y tywydd llonydd. Gwyddwn, gwaetha' nannedd, fy mod yn tynnu f'ysgwyddau tuag ataf yn yr oerni, ac fe sylwodd yntau ar hynny. 'Mae'n debyg nad ydych am dynnu eich côt' oedd ei ymateb sych!

Ond i ddychwelyd at nos Wener. Pe bai yna unrhyw reswm pam na fedrai alw, megis ei fod i ffwrdd ar un o'i deithiau gwylio adar, neu ar gyhoeddiad yn rhywle yn darllen ei farddoniaeth, byddai wedi rhoi gwybod yn ddeddfol ymlaen llaw, gan na fyddai arno angen yr wyau! Rŵan hyn, wrth ail-fyw'r nosweithiau Gwener rheiny, cofiaf mor ddiffwdan a chartrefol oedd ei ddull ar f'aelwyd. Gwelaf ei law grynedig yn ymestyn am baned a chacen. Clywaf y sgwrsiwr huawdl a difyr, a'r llais unigryw hwnnw'n codi weithiau os byddai ei bwnc wedi ei gynhyrfu.

Nid felly bob nos Wener chwaith. Ar dro byddai ei ysbryd yn ddi-hwyl, a cheisiwn ei godi o'i felan hefo rhyw gyfarchiad a swniai'n ddidaro fel, 'Fawr o wynt yn y mensal (*main sail*) heno, R.S.'

Yr un fyddai'r rheswm dros yr arwyddion allanol o'r felan bron bob tro. Pobl.

'Pobl yn galw ac yn curo ar fy nrws i, ac yn disgwyl i mi ateb iddyn nhw! Pobl yn holi oeddan nhw ym mwthyn y bardd, a finnau wedi ysgrifennu'n gwbwl eglur hefo sialc ar y drws, "Cartref R. S. Thomas".

Be sy'n bod arnyn nhw? Ydyn nhw ddim yn medru darllen? Maen nhw'n meddwl bod ganddyn nhw hawl arnoch chi! Beth sydd yna i'w ddarganfod am fardd, deudwch? Dydy bardd yn ddim ond ei waith, dydy popeth arall yn ei gylch yn ddim ond clebran a manion bethau!'

Ymatebwn innau fel tasa gen i ryw bresgripsiwn at ddileu'r felan.

'Wel, R.S. bach, heb y clebran a'r manion, fyddai'r dyn erioed wedi bodoli, a heb y dyn, ni fyddai'r bardd wedi anadlu chwaith.'

Dro arall, ei fyrhoedledd fyddai'r bwgan.

'Rydw i yn mynd i oed, wyddoch.'

Roeddwn wedi deall mai'r ffordd orau o ymateb ar yr achlysuron hyn fyddai cymryd golwg ysgafn ar bethau.

'Dduw mawr, peidiwch â rwdlan, meddwl dach chi. Dach chi'n heini ac yn iach, yn cerdded milltiroedd o gwmpas y lle ma'n gwylio'r adar bob dydd.'

'Hm,' ebychodd, cyn dyfynnu geiriau'r Americanwr Mark Twain, 'Age is mind over matter. If you don't mind, it doesn't matter!'

Roedd y dyddiau duon bach fel maen melin am ei wddf yn ystod ei aeaf cyntaf ar ôl ymddeol i Sarn Rhiw. Mae'r bwthyn yn swatio yng nghesail yr allt, o dan goedlan Plas yn Rhiw, ac roedd cysgod honno fel tai'n pwysleisio pa mor drwm oedd y dydd byr. Gallai fod bron yn dywyll yno am oddeutu hanner awr wedi tri i bedwar o'r gloch ar brynhawniau llwydion Rhagfyr. Soniai am y peth o hyd, wrth iddo hiraethu am y golau'n adlewyrchu oddi ar y môr yn Aberdaron. Cerddodd lawer i gyfeiriad Trwyn Talfarach, lle gallai weld ehangder y môr a'r golau y tu hwnt i Enlli yn ystod y gaeaf cyntaf hwnnw. Erbyn heddiw, torrwyd llawer o'r coed ac aed â ffordd newydd rhwng y Sarn a'r Plas, ffordd rydw i'n siŵr y byddai R.S. wedi ei gwrthwynebu.

Os oedd rhyw hynodrwydd yn dod i'r wyneb yn achlysurol, roedd yna ochr gynnes ac agos atoch chi yn cael ei hamlygu ynddo hefyd.

Byddai hefo chi 'ymhob creisis' chwedl Dic, Ty'n Lôn Neigwl wrth Robert Parry, Neigwl Ganol, pan oedd Richard yn ei chanol hi unwaith! Bûm innau'n ddiolchgar iawn am ei gefnogaeth ymarferol a chyson pan fu Rhian drwy gyfnod hir o waeledd. Eisteddai wrth ei gwely yn ysgafnu'i

hundonedd, ac i'm cof i, hel atgofion am Faldwyn a wnâi. Rwy'n siŵr fod
y dwyn atgofion am Faldwyn yn fwriadol, oherwydd gwyddai'n iawn mai
o'r sir honno roedd hi'n hanu. Roedd o'n adnabod ei theulu ymhell o'm
blaen i, ac yno'r eisteddai yn bwrw drwyddi gan orliwio ambell dro
trwstan yn ardal Llanfair Caereinion gynt, gyda'r bwriad o 'sgafnu ysbryd
a chodi gwên. Roedd hithau'n gyfarwydd ag yntau ers ei phlentyndod.
Arferai'r R.S. icuanc fynd am wersi Cymraeg wythnosol at y Parch. H. D.
Owen, gweinidog ar eglwysi'r Annibynwyr mewn cylch gwledig nid
nepell o Lanfair. Galwai wedyn efo'i dad, un o'i gyfoedion ym Mhrifysgol
Bangor, er mwyn iddo, yn ei frwdfrydedd i feistroli'r Gymraeg, gael y
cyfle i sgwrsio ynddi, heb boeni am wneud camgymeriadau. Oedd, roedd
rhyw swildod yn perthyn iddo hefyd.

Byddai'r plant yma'n profi o'i garedigrwydd o hyd. Weithiau byddai
R.S. y pobydd yn cyrraedd hefo'r cacennau bach crynion rheini yn llawn
cyrens, i'w rhannu. Ym Medi, cyrhaeddai yma hefo ffigys iddyn nhw,
ffigys a dyfai ar goeden yn Sarn Rhiw. Ni chyrhaeddodd y rheini erioed
mewn cwdyn plastig na phapur, ond wedi eu gosod yn gelfydd ar blât
oedd wedi ei addurno hefo deilen o'r goeden. Llaw Elsi oedd yn gyfrifol
am yr addurn.

Neidiai i gasgliad ar seiliau eithaf sigledig ar adegau. Cofiaf iddo roi
cerydd i mi unwaith oherwydd bod y peiriant barbio ar waith gennyf
ddechrau Chwefror. Gwyddwn innau mai'r dydd olaf o Chwefror oedd
dyddiad swyddogol terfynu'r gweithgarwch hwn. Mynnai yntau fod
dechrau Chwefror yn rhy ddiweddar.

Nogiodd y strimar oedd ganddo'n torri'r gwellt un tymor. Roedd
hwnnw wedi pechu wedyn, a chafwyd yr ymateb, 'Wedi gorffen ei oes.
Dyna ydy drwg peiriant, mae o'n iawn os ydy o'n gweithio!'

Rhyw nos Wener fe droes y sgwrs at y grefft o gynganeddu, pan holais
tybed a fu ganddo awydd criocd ysgrifennu barddoniaeth Gymraeg.

'Hm,' oedd ei sylw, 'Rydw i'n simsan ynghylch hanfodion y gynghanedd.
Mae hyn yn profi na allwch chi ysgrifennu barddoniaeth yn llwyddiannus
mewn iaith yr ydych chi wedi ei dysgu. Rhaid ysgrifennu barddoniaeth
yn iaith eich mam, os ydych chi am ysgrifennu hefo graen.'

Yn aml pan eisteddai yn y gegin yma, mynnai Tomi Puw, y gath, droedio'n ôl a blaen o gwmpas godre ei drowsus, gan rwbio'n fwythus yn y brethyn, fel y gwna cathod. A'r rheswm, yn ôl R.S?

'Mae Tomi'n gwybod yn iawn fy mod i'n hoff o adar ac yn casáu cathod. Dyna pam ei fod o'n hel mwythau yn fy llodrau fel hyn!'

Ar noson braf yng nghanol Gorffennaf a minnau ar gychwyn adref o Sarn Rhiw, roedd wedi 'nanfon o'i ddrws at ben y grisiau cerrig sydd rhwng y giât a'r lôn. Oddeutu decllath oddi wrthym, roedd pedwar llanc yn astudio map Ordnans wedi ei agor allan dros fonet car. Toc sylweddolodd un ohonynt ein bod yn sgwrsio yn y giât, a throes atom gan ofyn, 'Can you direct us to Hell's Mouth?'

Roeddem ni'n llythrennol yn edrych i lawr ar y bae, a chyn i mi feddwl am ymateb, meddai R.S., 'No such place!' Roedd o yn hollol iawn wrth gwrs, Porth Neigwl yw enw'r lle.

Ymhen cwta funud roedd yr ymwelwyr wedi darganfod yr enw ar y map, wedi ei argraffu yn null yr Ordnans bryd hynny, Porth Neigwl or Hell's Mouth. Sibrydai'r pedwar wedyn, a'u lleisiau'n ddigon eglur hefyd.

'But we are there. It's right here, and he knew it all the time, the bastard.'

Roedd R.S. fel hogyn newydd gael buddugoliaeth, wrthi'n fy mhwnio yn fy mraich efo'i benelin.

'Clywch, Gareth, clywch! Maen nhw'n fy ngalw i'n Bastard, The Bastard!'

Rhywdro aeth â mi hefo fo i Gaernarfon i wrando ar ddarlith ar hanes llwythau brodorol America. Fe'i traddodid yn Hen Lyfrgell y Sir, ac ar gyrion y dref dyma fo'n holi a oeddwn i'n gwybod lle roedd honno.

'Tydw i ddim yn hollol siŵr, R.S.,' meddwn, 'ond dwi'n credu ei bod hi yng nghyffiniau Twtil. Os ewch chi i mewn i ganol y dre a chymryd yr hen ffordd allan am Fangor, trowch ar y dde, yn syth ar ôl y zebra crossing.'

'Croesfan,' ffrwydrodd, 'croesfan dach chi'n feddwl.'

Troes i'r dde, ac roedd llanc yn cerdded ar hyd y pafin. R.S. yn stopio'r car a holi, 'Esgusodwch fi, allwch chi fy nghyfarwyddo at Hen Lyfrgell y Sir?'

'Esu,' medda hwnnw, 'llysgell? Ym, llysgell, tria polîs steshion yn Pendeitsh!'

R.S. yn weindio'r ffenest i fyny wrth ailgychwyn, gan egluro, 'Doeddwn i ddim am ddefnyddio'r Saesneg. Pe byddwn wedi defnyddio'r gair "library", byddai wedi deall.'

Ganllath yn uwch i fyny'r allt, roedd yna ŵr canol oed yn dod allan o adeilad.

'Trïwch hwn R.S.,' meddwn, 'ella y cewch chi well hwyl.'

Yntau'n gofyn yr un cwestiwn, ac yn cacl yr ymateb '*Love gate*? Castall, siŵr i ti 'co! Ond ma' fanno wedi cau rŵan, ia.'

R.S. yn dweud wrth weindio'r ffenest i fyny drachefn, 'Wel, hyd yn oed pe bawn i wedi defnyddio'r gair "library" efo hwnna, go brin y byddai o wedi deall!'

Eithr nid ar achlysuron oedd yn ymylu ar y digri neu'r trwstan yn unig y byddai hynodrwydd R.S. yn cael ei amlygu. Cymerai ei ddyletswyddau ar bwyllgorau *Llanw Llŷn* a Chyfeillion Llŷn o ddifri calon.

Fel hyn yr ysgrifennodd at Ddirprwy Guradur Amgueddfa'r Ashmolean, Rhydychen, yn rhinwedd ei swydd fel Ysgrifennydd y Cyfeillion. Mae'n gosod ei stondin ar ei union drwy ei gyfarch â'r geiriau, '*I write in English for your convenience only.*'

Roedd hynny, fel mae'n digwydd, yn rhywbeth a oedd yn ymwneud â mi. Tua chanol y bedwaredd ganrif ar bymtheg, wrth aredig, dadorchuddiodd fy hen daid, Evan Evans, Tir Gwyn, Llannor, ddau faen ac arysgrif Ladin arnynt: beddfeini yn dyddio o'r chweched ganrif ym marn haneswyr a'u harchwiliodd yn ddiweddarach. Bedd 'Vendesetli', Gwynhoedl yn ein hiaith ni, nawddsant yr eglwys sy'n dwyn ei enw yn Llŷn.

Heb fawr o ymgynghori, aed ati i symud y meini i Rydychen, oddeutu 1895, pan oedd fy nhaid tua deuddeg oed – 'Meini Pemprys', fel y'u gelwir. Gan i mi glywed Taid yn adrodd yr hanes, megais innau chwilfrydedd yn eu cylch. Cofiaf fynd â'r plant yno i'w gwcld ganol y saithdegau, eithr pan ddychwelais ar ddiwedd yr wythdegau, doedd yna ddim arlliw ohonynt. Euthum ati i holi'r ceidwad, ac wedi llawer o alwadau ffôn, daeth y Dirprwy Guradur ataf ac egluro'u bod yn cael eu cadw mewn storfa gan nad oedd lle iddynt yn yr oriel. Aeth â mi i'w gweld, chwarae teg iddo, ond roeddwn i'n dal yn anfodlon. Cysylltais efo R.S. a'r Cyfeillion, ac wedi cryn ymgyrchu a llythyru, dychwelwyd nhw i Lŷn yn 1993. Fe'u cedwir heddiw yn Oriel Plas Glyn-y-Weddw, Llanbedrog, meini na ddylai fod wedi mynd oddi yma erioed.

Awgrymodd yr awdur Byron Rogers ar raglen deledu rai blynyddoedd yn ôl, ac yntau'n sefyll uwchben bedd R.S. ym mynwent eglwys Porthmadog, fod rhagor nag un R.S. wedi ei gladdu yno. 'Rhaid cymryd y dyn fel yr ydych yn ei adnabod', meddai'r hen air, a diau mai'r dyn ymysg ei 'fanion bethau' a adwaenwn i. Eithr yn y 'manion bethau' cefais gip ar y bardd, y naturiaethwr, yr ymgyrchydd gwrth-niwcliar, a'r cenedlaetholwr pybr. Wrth gwrs i mi, cymydog a chymwynaswr oedd o'n gyntaf.

Er iddo symud oddi yma mae'r geiriau sydd wedi eu hychwanegu ar fedd Elsi ym mynwent Llanfaelrhys yn cloi'r stori'n daclus. Maen nhw'n codi hiraeth hefyd. 'Ac yn ei ysbryd. R. S. Thomas.'

Y dyn wrth ei waith

Mary Roberts

Pan gyrhaeddodd R.S. Aberdaron o Eglwys-fach yn 1967, yn ficer eglwys Sant Hywyn a Bodferin, neu'r eglwys mul fel y gelwir hi, ychydig iawn y tu hwnt i gylch daearyddol pen pellaf Llŷn oedd yn gwybod y stori i gyd. Nid oedd gan lawer amcan nad ar y cynnig cyntaf y darbwyllodd R.S. ei blwyfolion newydd i'w dderbyn yn ficer arnynt.

Fe'i gwrthodwyd ar ei gais cyntaf, oherwydd roedd pobl Aberdaron yn bryderus y byddai'r bardd Saesneg – oedd yn siarad Saesneg coeth hefyd – â'i Gymraeg yn rhy fratiog i ofalu am eu buddiannau ysbrydol. Felly, er mai enw R.S. oedd argymhelliad yr awdurdodau eglwysig, ni ddarbwyllwyd plwyfolion Aberdaron a Bodferin.

Eithr lliniarwyd y gwrthwynebiad yn fuan iawn, pan aeth y rhod eglwysig i droi. Dim ond tro neu ddau, ac fe ddaeth y plwyfolion i wybod bod y dyn newydd, er gwaethaf ei Saesneg uchel ael, eisoes yn gwbl gyfarwydd â'r ardal, ei llwybrau a'i glannau. Fe allwch ddirnad teithi'r sgwrs ar y stryd neu yn y siop. Duwcs annwl roedd o, ei wraig, y mab a'i ddyweddi yn ymweld â'r ardal yn gyson, ac roedd o'n ffrindia garw hefo'r chwiorydd Keating ym Mhlas yn Rhiw, ac yn gefnogol iawn i'r gwaith yr oeddan nhw'n ei wneud yn amddiffyn byd natur a'r amgylchedd. Roedd o hefyd wedi prynu petrol hefo John Gruffydd ym Modantur a sgons yn y becws, ac os oedd ei Gymraeg o'n well wrth sgwrsio hefo fo nac wrth wrando arno'n traddodi pregath, buan iawn yr altrith o'n fa'ma. Cyn bo hir, croesawyd R.S. ac Elsi i'n plith, a chyda treigliad amser ychwanegwyd eglwysi Llanfaelrhys a'r Rhiw i'w ofal hefyd.

Ymroes ar ei union i'w waith, ond fe ddaeth yn amlwg ei fod yn greadur swil iawn. Wedi dweud hynny, roedd o bob amser ar gael i bawb oedd mewn trallod neu angen. Gwnâi bwynt o adael i bawb wybod hynny, ond wnâi o byth wthio'i hun ar neb. Roedd hynny'n talu hefo rhai, yn gadach coch gan eraill – y stori gyfarwydd am blwyfolion ym mhobman, am wn i. 'Dan ni'n ffond o roi ein llinyn ar y sgwlyn, y gweinidog a'r person, ond ddwedwn ni ddim llawer am y meddyg, rhag ofn y byddwn ni ei angen o ar fyrder! Eithr roedd R.S. yn graddol ennill

ei blwy, ac fe ddeuthum yn gyfarwydd iawn, fel yr âi amser rhagddo, â chlywed Ymneilltuwyr yn ogystal ag Eglwyswyr yn holi a wnawn i ofyn i'r Person alw hefo nhw. Pawb â'i boen, y boen fwyaf, tai hynny'n ddim ond mater o gael cymorth i lenwi ffurflen!

Roedd o'n ddyn cysáct iawn ei natur. Dechreuai'r gwasanaeth yn brydlon i'r eiliad, ac os digwyddai rhywbeth i beri oedi, edrychai'n flin iawn. Collodd ei amynedd yn llwyr hefo'r organyddes unwaith, un nad oedd symudiadau'r cloc yn fater byw a marw iddi. Gan na fedrai oddef unrhyw fath o 'ddili-dalian', dechreuodd yr oedfa cyn iddi gyrraedd. Yn yr un modd, naw wfft i unrhyw briodferch fyddai'n hwyr yn cyrraedd yr eglwys, oherwydd gallai edrych yn anghariadus iawn wrth weinyddu'r gwasanaeth priodas. Yn wyneb rhyw ddigwyddiadau felly, nid yw'n syndod fod ambell stori'n cael ei phedlera, megis yr un amdano'n neidio dros wal y fynwent ar ddiwedd angladd. Roedd yr angladd, meddan nhw, yn hwyr yn cyrraedd, a'r galarwyr yn oedi a sgwrsio ar ei ddiwedd. Yn ei frys i fynd i'w gyhoeddiad nesaf, aeth dros y wal yn hytrach na cherdded heibio'r dorf a thrwy'r giât. Tyfodd straeon felly megis rhyw fath o lên gwerin yn ei gylch oherwydd fe'u priodolir i Fanafon, Eglwys-fach ac Aberdaron yn eu tro. Eithr gallaf eich sicrhau na welais i, beth bynnag, ddim byd felly'n digwydd yn Aberdaron.

Os byddai R.S. yn ymweld, gyda'r nosau y digwyddai hynny fel rheol, yn unol â phatrwm ei gysactrwydd. Cofiaf iddo alw hefo fy mrawd, oedd yn arfer bod yn eglwyswr selog, ond nad oedd yn mynychu mor aml ar y pryd. Roedd R.S. newydd ddychwelyd ar ôl wythnos o wyliau ar Enlli. Fy mrawd yn holi a oedd o wedi mwynhau ei hun ar yr ynys ac yntau'n ateb, 'Do'n arw iawn. Mi fyddwn wedi cael aros mwy yno tasa pawb yr un fath â chi.' Yr awgrym, wrth gwrs, oedd na fyddai angen am ficer yn Aberdaron petai pawb yn cadw draw o'r eglwys, ond roedd y beltan i'm brawd oherwydd ei absenoldeb yn y gwasanaethau yn nodweddiadol ohono.

Pregethai heb bapur o gwbwl ar ei gyfyl, gan draddodi o'r pulpud bob amser. Docdd ganddo fawr i'w ddweud wrth y syniad o draddodi pregeth yn sefyll ar y llawr o flaen ei gynulleidfa, neu wrth y ddarllenfa – 'rhyw figmas felly,' chwedl yntau. Cofiaf yn glir na fyddai o byth yn ailadrodd, dim ond dweud ei genadwri ar ei phen mewn pregeth syml a dealladwy. Trafod colect y Sul neu arwyddocâd tymhorau'r eglwys megis yr Adfent fyddai o wrth bregethu, ac ar ddiwedd yr oedfa fe âi allan i'r drws a sefyll yno'n ysgwyd llaw a sgwrsio hefo'i gynulleidfa wrth iddynt ymadael. Dyna'i ffordd, ac mae'r ffaith honno'n dryllio'r ddelwedd y byddai'r wasg yn hoffi ei phortreadu ohono – y dyn surbwch na fyddai'n siarad o gwbl â phobl.

R.S. fyddai'n cymryd gofal o'r gwasanaeth i gyd ei hun, a go brin y byddai'n cymryd yn llawen at yr arferiad sy'n gyfarwydd heddiw, pan mae lleygwyr ac aelodau'n cynorthwyo. Y fo fyddai'n cymryd y cyfrifoldeb am ganu'r gloch hefyd pan na fyddai clochydd ar gael. Yn unol â'r drefn, traddodai yn Saesneg yn y bore ac yn Gymraeg yn yr hwyr, ond daliai ei fod bob amser yn siriolach dyn yn Gymraeg! Chaem ni byth ei gwmni yn yr Ysgol Sul yn Sant Hywyn gan y byddai'n gwasanaethu yn un o eglwysi eraill ei ofalaeth yn ystod y prynhawn. Eto, roedd ganddo ddiddordeb mawr yn y plant a'r ieuenctid, ac yn mynnu'r gorau iddynt bob amser. Cynhaliai de parti Nadolig yr Ysgol

Sul yn y Ficerdy, a byddai Elsi ac yntau wedi paratoi'n drylwyr ar ei gyfer, yn cynnwys y gemau a ddilynai'r wledd.

Tripiau â blas antur yn perthyn iddynt oedd tripiau Ysgol Sul Sant Hywyn yn ystod ei gyfnod yma. Yn groes i'r arferiad o gyrchu i lefydd fel Llandudno a'r Rhyl, fe fuom yn Enlli ddwywaith, ac Elsi wedi paratoi ar ein cyfer, y fasgedaid fwyaf o fwyd a welais erioed, y ddau dro. Rheidrwydd, rhag ofn i'r tywydd droi. Dro arall fe fuom yng Ngheudwll Llechwedd. Roedd trên bach 'Stiniog a Sw Bae Colwyn yn gyrchfannau i ni'n ogystal. Tripiau addysgiadol bob un, ac R.S. yn egluro cymaint am hyn a'r llall i'r hen blant. Yr R.S. annwyl, agos atynt welais i, ac anodd dygymod â'r awgrym ei fod yn ymddangos yn anghyfforddus a thrwsgl yn eu mysg, fel petai arno ofn iddynt fynd yn rhy agos ato. Gwnaed llawer o'r awgrym hwnnw yng nghyswllt ei berthynas â'i fab, Gwydion, ond ag anwyldeb y clywais i ei dad yn sôn amdano'n ddieithriad.

Fe gâi'r rhai hŷn eu gwahodd i'r Ficerdy bob hyn a hyn i chwarae *croquet*. Roedd R.S. wedi mynd a phrynu'r offer ar eu cyfer, ac er bod y gêm honno'n ddieithr iddynt, buan iawn y daethant i'w deall. Nid chwarae'r gêm yn unig chwaith, fe gaent eu haddysgu lawer am yr adar, eu harferion a'u nodweddion ar yr un pryd. Caent fynd i'r tŷ wedyn i weld lluniau manwl Elsi ohonynt. Cofiaf iddo unwaith fy nghael i'w noddi am y swm o ugain ceiniog am bob aderyn a welai mewn hyn a hyn o amser. Afraid dweud bod y gwylio noddedig hwnnw wedi golygu mynd yn ddwfn i'm pocedi, ond roedd y cyfan o'r arian yn mynd at achos teilwng.

Pan aeth y Cyngor Sir ati i gau hen ysgol Deunant ac adeiladu ysgol newydd penderfynwyd gwahodd cynigion am enw iddi. Gwnaed hynny ar sail rhyw fath o gystadleuaeth ymysg trigolion yr ardal. Rhyw wenu wnâi R.S. gan awgrymu na fyddai gobaith ganddo, hyd yn oed pe byddai'n cystadlu, ond ei gynnig o ddaeth i'r brig, ac fe'i cysylltir â'r enw 'Ysgol Crud y Werin' tra bydd ysgol yn Aberdaron.

Roedd o'n un hynod garedig yn nhŷ'r brofedigaeth, bob amser yn bwrpasol ei sgwrs wrth geisio ysgafnhau'r amgylchiadau. Fyddai dim yn ormod ganddo wrth ymdrin â chleifion yr ardal chwaith, a'i gymwynasau'n ddirgel yn amlach na pheidio. Rhannodd iddynt lawer o 'fala coch y Ficrej,' chwedl pobl, ynghyd â'r cacennau bach crynion, llawn cyraints rheiny a bobai.

Cofiaf i'w ddireidi amlygu ei hun ynddo wrth drefnu fy mhriodas. Roedd Ifan a minnau wedi bod yn canlyn ers tipyn go lew o amser, a phan aethom i'w weld ynglŷn â gwneud y trefniadau, ei ymateb oedd, 'Lle ar y ddaear yr ydych wedi bod? Dwi'n eich disgwyl yma ers talwm.'

Ocdd, rocdd ei hynodrwydd yn amlygu ei hun o dro i dro. Pan symudodd i'r Ficerdy, un o'r pethau cyntaf ddaru o oedd tynnu wynebau'r gratiau i gyd, gan adael twll sgwâr fyddai'n cynhyrchu llawer mwy o arogl huddyg yn y tŷ pan fyddai'r hin yn llaith. Gosodasai fasged haearn yn y twll i gynnal y tân, ac ymhen fawr o dro cylchredai straeon i'r perwyl fod swyddog ystadau'r eglwys wedi colli cymaint ar ei limpyn nes iddo dagu ar ei boer wrth fytheirio. Lemonêd cartref Elsi a'i dadebrodd, meddan nhw!

Roedd o'n gwisgo ychydig bach yn wahanol fel Person hefyd – coler gron bob amser, ond siwt o liw llwyd ysgafn yn ddieithriad, bron. Fel arall, gwisgai dei coch bob gafael, a throwsus brethyn hefo godre culion, oedd bob amser wedi ffraeo hefo'i esgidiau, yn cael ei gynnal gan fresys oedd hefyd yn rhai coch. Pan fyddai ei grysbas yn agored, fedrech chi ddim llai na sylwi bod gwasg ei drowsus bob amser yn uchel, bron at ei geseiliau.

Doedd ganddo fawr i'w ddweud wrth bwyllgorau megis y Cyngor Plwyf Eglwysig. Anaml y byddai'n cynnal un, ran hynny, ar wahân i'r Pasg. Roedd hwnnw'n hanfodol i'r drefn. Oedd, roedd o'n trin a thrafod trefniadau'r eglwys hefo Warden y Bobl a Warden y Person yn fanwl, ond R.S. gâi ei faen i'r wal. Yn ei ffordd ei hun y gwnâi bethau mewn gwirionedd.

Chaech chi byth mohono'n mân siarad – doedd trafod y tywydd ddim ynddi. Mi fyddai'n cerdded y pentref weithiau a'i feddwl fel petai yn rhywle arall. Ella mai rhyw gerdd neu linell fyddai'n troi yn ei ben ar yr achlysuron rhciny, ond os byddai wedi pasio rhywun ar y bont neu yng nghanol y pentref, wel, mi fyddai wedi pechu! Cofiaf un wag gafodd brofiad felly'n awgrymu ei fod o'n debyg iawn i'r ci defaid hwnnw yn englyn Tom Richards, Llanfrothen, â'i feddwl ar ei gampau 'yn y cwm pell'.

Byddai ambell un yn cael ei dramgwyddo hefyd os cywirai R.S. nhw yn y siop drwy gynnig gair Cymraeg iddyn nhw am un Saesneg roeddent newydd ei ddefnyddio. Rydan ni wedi mynd yn bobl sy'n cyfrif ein harian, wrth ofyn amdano neu wrth roi newid, yn Saesneg. Byddai ein diogi yn gofyn am 'one pound twenty' neu 'fifty pence', a'r eirfa ar gael i ofyn hynny mewn Cymraeg croyw, yn ei gythruddo, a fyddai ganddo ddim ofn codi cywilydd ar unrhyw Gymro oedd yn euog o'r ynfydrwydd hwn. Stori uchel yw honno amdano'n gofyn yn siop y bwtsiwr am 'ddarn o olwyth tin'. Roedd y bwtsiwr mewn penbleth am eiliad cyn iddo ddirnad bod y gair Saesneg – rump – , fwy na thebyg yn gyfystyr â thin. Serch hynny, bu'n rhaid iddo gael cymorth i ddeall mai 'golwyth' yw'r gair Cymraeg am *steak*.

Beth bynnag a ddywedir amdano, roedd rhyw gynhesrwydd bachgennaidd ynddo yn y bôn, ac roedd yn un eithriadol hael ei garedigrwydd a'i dosturi pan oedd cymylau'n hel o gwmpas rhywun. Oes, mae yna lawer yn sôn am y dyn pell, sarrug yr olwg ar y stryd. Cyfeirir at y dyn swil hefyd ond roedd mor wahanol i hynny ar aelwyd rhywun. Efallai ei fod o'n teimlo'n ddiogel yn eistedd wrth dân yn y fan honno. Yr R.S. hynaws, caredig a direidus hwnnw ar aelwyd sydd fynychaf yn fy meddwl i. Os oedd yna amheuon yn codi ynghylch y bardd Saesneg coeth, a'i allu i weinidogaethu yng nghanol Cymreictod Llŷn pan ddaeth yma, roedden ni i gyd yn gwybod mewn dim o dro am ei genedlaetholdeb pybyr. Roedd o'n gwybod yn iawn beth oedd cael ei godi heb yr iaith a thu allan i'r byd diwylliannol Cymreig ac roedd o mor danbaid a selog â dyn wedi cael tröedigaeth drostynt. Dwn i ddim o ble daeth y cefndir uchel ael hwnnw ond, yn ddiddorol iawn, clywais rhywun unwaith yn ei drafod ar yr un gwynt ag R. O. F. Wynne, Garthewin, y cenedlaetholwr o gefndir annisgwyl wnaeth ei ran yn llosgi'r ysgol fomio ym Mhenyberth.

Mae yna fwy o ymwelwyr, yn eu plith lawer o Saeson ac Americanwyr, wedi eu denu i Eglwys Sant Hywyn yn ystod y degawd diwethaf oherwydd ei chysylltiad ag R.S., ac mae'n dal i ddenu rhagor a rhagor ohonynt bob blwyddyn. Llawer mwy na phan oedd o'n Berson yma! Mae yna baradocs yn hynny, dybia i. Dyn llawn paradocsau oedd o.

Yr unplyg
a'r diwyd

Beti a'r diweddar
John Arfon Huws

Rhyw 'lanio' ym Mryn Haf 'ma yn hollol annisgwyl y byddai R.S., ar ei ffordd adref o Gilan neu Borth Ceiriad, lle byddai wedi treulio prynhawn yn gwylio adar. Er nad oedd Arfon, mwy nag R.S., yn un am 'wagswmera' chwedl ein diweddar gyfaill Bernard Evans, y llenor o Gwm Gwendraeth, eisteddai'r ddau yn sgwrsio am hydoedd tra neilltuwn i'r gegin i wneud paned a gadael llonydd iddynt drin a thrafod. Tros ddegawd a mwy, tyfodd cyfeillgarwch tawel rhwng y ddau, a chan fod Arfon yn edmygwr mawr o R.S., gwerthfawrogai ei gwmni gwâr a'i sgyrsiau hynod amrywiol a diddorol. Hyd yn oed os glaniai ar adeg a oedd braidd yn anghyfleus, fel y gall ddigwydd yn hanes pawb ar adegau, roedd gan Arfon ddigon o amser iddo bob tro y cwrddent.

Cofiaf yn dda iddo alw yma yn ystod gwyliau'r Pasg 1992 pan oedd gennym lond y tŷ. Ffrind o Gaerdydd ar ymweliad; ein merch, Siân Gwenllian, hefo dau o hogia bach bywiog yn cadw reiat, a'r un o'r ddau yn cymryd fawr o sylw o'r dyn dieithr ollyngodd ei hun yn ddiseremoni ar y soffa wrth ochr eu mam. A hithau ar y pryd yn disgwyl ei thrydydd plentyn, a'i chyflwr beichiog yn hollol amlwg i bawb, syndod clywed R.S.

Elsi ac Enlli Vaughan

R.S. hefo Enlli ac Ednyfed Vaughan
yn Sarn Rhiw oddeutu 1991

– creadur swil iawn weithiau – yn holi tybed a oedd yn fwriad ganddi hi a'i gŵr, Dafydd, gynhyrchu hanner dwsin o blant er sicrhau parhad y Gymraeg?

Mae gen i ryw syniad ei fod yn teimlo'n ddigon unig ar adegau yn y cyfnod hwn. Dim ond ychydig dros flwyddyn oedd ers marwolaeth ei wraig, Mildred Eldridge neu Elsi fel y'i gelwid. Cofiaf nad oedd o'n swil o gwbwl, er gwaetha presenoldeb ein cyfaill o Gaerdydd, o gael ei berswadio i eistedd wrth y bwrdd a chymryd te efo ni. Ymhen dim galwodd gan gyflwyno copi o'i lyfr *Mass for Hard Times*, ei gasgliad o gerddi er cof am Elsi. Un felly oedd o, yn amlygu ei ddiolchgarwch am bob cymwynas. Elsi annwyl: er mai dim ond dwywaith y cefais ei chyfarfod hi yn y cnawd, a hynny yn Sarn Rhiw pan oedd ei hiechyd yn bur fregus, roedd yna lawer o ymwneud wedi bod rhyngom gydol y blynyddoedd, ac R.S. wrth reswm ocdd y cyswllt. Rocdd hi mor dawcl a gwybodus, ac fe fyddwn wedi rhoi'r byd am gael ychwaneg o'i chwmni.

Rhoddais bot o *chutney* cartra i R.S. fynd iddi, un Nadolig, ac fe dderbyniais un o'i chardiau cain, llun adar bach yn yr ardd, ynghyd â nodyn cwrtais o ddiolch. Trysoraf hefyd ei llyfrau, llawn darluniau hyfryd

Gwyrth y Bore 1984, Elsi Eldridge

Red Admirals,
Buttercups and
Grasses 1962,
Elsi Eldridge

i blant, *In my Garden* a *The Seashore*, a gyhoeddwyd gan y Medici Society.

Dro arall atebais gnoc ysgafn ar ddrws y gegin, a'i gael yno'n gwenu'n swil gyda blodyn sgleiniog gold y gors yn ei law, yn anrheg fach i mi.Ymddiheurodd am y mwd ocdd yn drybola ar ei esgidiau, coesau ei drowsus, a godre ei gôt lwyd, laes. Roedd o wedi gorfod crafangio dros ganllaw Pont Newydd, Llangian, a stryffaglio drwy dir gwlyb a chorsiog glannau afon Soch i gyrraedd at y blodyn. Roedd yn bur heini, hyd yn oed bryd hynny, ac yntau dros ei bedwar ugain oed.

R.S. a Beti yng ngardd Bryn Haf, Bwlchtocyn

Bu cyfarfod â'i ail wraig am y tro cyntaf, Elizabeth Vernon, neu Beti fel y mynnai ein bod yn ei galw – gyda'i hacen 'Canadian' gref – yn brofiad gwahanol, a dweud y lleiaf. Digwyddodd hynny ar noson ei ben-blwydd yn bedwar ugain, ond nid oedd R.S. am ddatgelu pwy oedd hi wrth neb o fynychwyr y dathliad! Gydag amser y cawsom wybod hynny. Gwisgai'n lliwgar, ac roedd ei holl ymarweddiad yn hollol wahanol i un Elsi. Roedd hi'n gwmni lliwgar hefyd, ac ar adegau roedd R.S. fel rhyw hogyn wedi colli ei ben yn ei chwmni, y ddau'n amlwg wedi adnewyddu hen gyfeillgarwch yn ddidrafferth, ac yn gyfforddus iawn yng nghwmni'i gilydd.

Gwydion 1950,
Elsi Eldridge

Fcl y digwyddai, roedd pen-blwydd Arfon ac yntau yn disgyn ar yr un dyddiad, y nawfed ar hugain o Fawrth. Pan oeddem fel teulu'n dathlu ei ben-blwydd yn 70 oed yn 1999, ymunodd R.S a Beti â ni i nodi carreg filltir ei ben-blwydd yntau yn 86 oed. Deil eu hanrheg i Arfon, llwyn camelia, i flodeuo bob gwanwyn i'm hatgoffa am yr achlysur hapus – un atgof ymhlith niferoedd am y cyfeillgarwch a fu. Y llynedd (2012), ddeuddeng mlynedd ar ei ôl, wedi cyrraedd gwth o oedran, bu farw Beti'n 97 oed.

Casgliad o rai o'i atgofion am yr R.S. unplyg a diwyd hwnnw, y bu iddo ei ddilyn fel Ysgrifennydd Cyfeillion Llŷn a gafwyd gan Arfon ym Mhabell Lên Eisteddfod Genedlaethol Dinbych yn 2001. Rhwng hynny a'i farwolaeth yntau yn 2010, roedd Arfon wedi cofnodi ychwaneg o'i atgofion amdano ac mae'r cyfanwaith yn cadarnhau cymaint oedd edmygedd Arfon ohono.

'Rhamantydd ydyw wedi croesi'r gorwel ac yn gweld y byd heb wydrau pinc', – dyna ddisgrifiad y diweddar Gruffudd Parry, cyn-lywydd Cyfeillion Llŷn, ohono wedi iddo gyrraedd y penrhyn. Yn fuan wedyn sylweddolodd R.S. fod angen asio dyheadau nifer ohonom i warchod hunaniaeth Llŷn, hunaniaeth a oedd yn prysur ddiflannu, ac ymroes bob cyfle gâi i hyrwyddo hynny. Eithr yn wyneb llifeiriant didostur y mewnlifiad Seisnig yn niwedd y saithdegau a dechrau'r wythdegau, argyhoeddwyd R.S. fod angen symudiad cryf ym mhen draw Llŷn i ymateb i'r her. Y canlyniad oedd sefydlu Cyfeillion Llŷn, ac R.S. oedd yr ysgrifennydd am yr wyth mlynedd cyntaf, ac ef a ffurfiodd gyfansoddiad ac amcanion y mudiad. Mae'r amcanion rheiny yn ddigyfaddawd: Gwarchod y Gymraeg yn Llŷn; Hybu buddiannau ac economi Llŷn; Gwarchod yr amgylchedd yn Llŷn.

Yn niwedd Hydref 1993 gelwais yn Sarn Rhiw, ac wedi peth ymbalfalu, cyflwynodd lond bocs o bapurau amrywiol, yn ogystal â'i lyfr cofnodion, gan mai fi oedd i'w ddilyn fel ysgrifennydd. Roedd R.S. y rhamantydd am ddilyn ei galon a gadael ei nyth uwch tonnau tragwyddol Porth Neigwl a mynd i aeafu am ychydig fisoedd yn Llanandras hefo cymar newydd.

Wrth geisio cael trefn ar ei nodiadau, daeth yn amlwg pa mor ddiwyd ac unplyg oedd ei ymroddiad i ddiwylliant, iaith ac amgylchedd Llŷn. Bu'n gweithio'n ddistaw a diflino – yn ddi-ddiolch yn aml – i geisio cyfiawnder i'r penrhyn mewn gwahanol feysydd. Roedd y bocs yn llawn o'r dystiolaeth honno.

Ond roedd hyd yn oed R.S. yn ei methu hi weithiau! Cofiaf fod cyfarfod o'r Cyfeillion wedi ei drefnu am saith o'r gloch un nos Iau yn festri Capel Pen-lan, Pwllheli. Daethom at ein gilydd ar gornel y palmant: Ioan Mai a'i helmed ar ei ben, ei ddillad moto-beic yn sgleinio yng ngolau gwan lamp y stryd; Gruffudd Parry yn ddistaw gyfeillgar a Moses Glyn yn dechrau colli amynedd. 'Lle ma'r Ysgrifennydd, d'wch? Gynno fo ma'r goriad.' Rocdd y gweddill ohonom, aelodau'r pwyllgor bach, wedi dechrau aflonyddu ychydig hefyd o ran hynny!

O'r diwedd, brasgamodd R.S. o'r gwyll at giât y festri, yn gwenu'n swil hefo'i lyfr cofnodion dan ei gesail.

'Mae'n ddrwg gen i fod yn hwyr, gyfeillion. Ydi'r drws ddim ar agor?'

Roedd hi'n amlwg fod rhywbeth o'i le.

'Arhoswch funud,' meddai, gan frasgamu i gyfeiriad y Tŷ Capel.

Nid oedd ateb yno, ac nid oedd goriad i'w gael yn unman. Cyfyng-gyngor yn y fan a'r lle a phawb yn awyddus i gynnal y pwyllgor.

'Oes yna rywle'n agored, rhyw stafell cefn siop neu dafarn go ddistaw?' 'Ma 'na gaffi go fawr uwchben siop Spar yn y Maes' oedd un awgrym, ac yno y cyfeiriwyd ein camre.

R.S. yn ein harwain, ychydig yn wylaidd, a'r gweddill ohonom yn twt twtian yn ddistaw wrth ei ddilyn. Roedd Ioan Mai yno'n ein disgwyl, ei foto-beic wedi ei barcio'n dwt a'i helmed o dan ei fraich.

'Ma'r lle 'ma wedi cau,' meddai drwy awgrym o wên. 'Fedrwn ni i gyd ffitio i mewn i un car, d'wch?'

'Ma' hi'n noson gynnes braf. Beth am ei 'nelu hi am lan môr? Mae yno gysgodfan dan do hefo mainc ynddi, ac mae 'na olau stryd llachar uwchben y prom,' mentrais innau.

Gan nad oedd syniadau adeiladol eraill yn cael eu cynnig, derbyniwyd yr awgrym, ac i fyny'r Cob yr ymlwybrodd y fintai fechan – R.S. unwaith cto ar y blaen, ci hirwallt yn llifo'n fanerog a'i dei coch dros un ysgwydd.

Roedd y fainc yn wynebu'r môr, ac yn ddigon hir i dderbyn y pwyllgor yn un rhes ddestlus. Treiddiai'r golau stryd drwy wydrau'r gysgodfan yn hen ddigon cryf i alluogi R.S. i weld ei nodiadau. Yno, yn sŵn y tonnau'n llepian ar y graean, gofynnodd y Cadeirydd i'r Ysgrifennydd ddarllen cofnodion y cyfarfod cynt. Safai â'i gefn at y twyni, a'i lyfr clawr du o'i flaen. Mewn llais eglwysig, undonog braidd, darllenodd yn bwyllog yn ôl ei arfer. Fel petai am gyfrannu i'r pantomeim, daeth corgi eithaf cryf i'r golwg, yn tynnu ei berchennog yn ddidrugaredd wrth fynd am dro cyn noswylio. Safodd y ddau am ysbaid yn rhythu arnom, ac yna, fel llwynog Williams Parry gynt, llithrodd y ddau ymlaen nes diflannu i'r nos. Cafwyd pwyllgor digon taclus ar y traeth ac fe seriwyd yr olygfa yn fy nghof. Ni allaf gerdded prom Pwllheli mwyach heb weld ei ddwylath gwalltog rhyngof a Bae Ceredigion, ei lais yn torri ar fydr y tonnau sisialai eu grwndi ar ymyl y gro.

Mae'n debyg fod y Brenin Arthur yn deithiwr selog yn ei ddydd, oherwydd fe welir nifer helaeth o gromlechi yn dwyn ei enw ledled Cymru. Saif un, Coeten Arthur, nid nepell o fwthyn R.S. Mae nifer o'r meini hyn ar lethrau Mynydd Rhiw o ran hynny. Ni wn ai byw yn eu canol ai peidio a'i symbylodd i hysbysu pwyllgor y Cyfeillion un noson ei fod am sefydlu Cynghrair Chwarae Coets yn Llŷn. Doedd neb ohonom yn ei gymryd o ddifri ar y dechrau, ond fe ymddangosodd pâr ohonynt yn bedolau sgleiniog, wedi eu harchebu ganddo yn enw'r Cyfeillion, gwaith caboledig gofaint lleol. Ffurfiwyd dau dîm yn frysiog, tai hynny ddim ond i foddhau un o fympwyon sefydlydd y mudiad! Cytunwyd ar noson a threfnwyd ein bod yn cael defnydd o gae chwarae Ysgol Botwnnog i gynnal yr ornest. Cyn cychwyn, aeth ati i osod sgwaryn o glai glas – 'o ansawdd arbennig' fel y pwysleisiai – mewn twll yn y ddaear hefo polyn yn ei ganol. Doedd neb yn siŵr o ble daeth y clai, ond byddai Michelangelo ei hun yn ddiolchgar am wybod man ei darddiad!

Camodd yr hyd cywir cyn plannu polyn arall i'r ddaear gyferbyn â'r clai. A'r maes ymryson yn barod, mynnai mai fo fyddai'r olaf yn cymryd ei dro i daflu coeten. Nid oedd ymysg yr un ohonom, aelodau'r ddau dîm, athrylith yn chwarae. Roedd y mwyafrif ohonom yn taflu coeten am y tro cyntaf yn ein bywydau, ac yn rhyfeddu at bwysau'r haearn a'r bôn braich oedd ei angen i gyrraedd hanner y ffordd at y clai, heb sôn am y polyn yn ei ganol. Daeth tro R.S. Torchodd ei lewys ac anwesodd y goeten am ychydig rhwng ei ddwylo. Yna â'i fresys coch fel rhyw arfbais

Criw y Coets (o'r chwith i'r dde) John Arfon Huws, Gruffudd Parry,
Harri Williams, Glyn Jones, y dyfarnwr, Dyfed Evans ac R.S. ar gae chwarae
Ysgol Botwnnog

ar ddwyfronneg ei grys clerigol llwyd, cymerodd gam cefnsyth yn ei ôl
cyn camu 'mlaen yn benderfynol, sythu ei fraich dde ac anelu'r bedol
drom yn enfys berffaith drwy'r awyr. Glaniodd â sŵn 'llyrp' boddhaol yn
y clai glas fel modrwy am y polyn. Os oedd y gweddill ohonom yn fud,
roeddem yn gwybod i sicrwydd fod R.S. wedi taflu coeten cyn y noson
honno! Ni chawsom wybod ym mhle na pha bryd chwaith! Wrth i rywun
bwyso arno i ddatgelu'r gyfrinach, cododd ei ên wrth i awel ysgafn
chwarae â chudyn o'i wallt am eiliad. Sythodd ei fraich, cyn pwyntio'i fys
fel rhyw siars nad oedd neb i holi 'chwaneg. Yn nodweddiadol o'i hiwmor,
roedd awgrym o wên chwareus yng nghilfachau ei geg yr un pryd. Na, ni
chawsom wybod!

Ysgythrwyd yr ciliadau hynny ar fy nghof am byth. Nid yw darlun olew
Thomas Jones, Pencerrig, sy'n crogi ar un o furiau'r Amgueddfa
Genedlaethol, yn gwneud cyfiawnder o gwbl â'r ddelwedd o'r Bardd
Cymreig a bortreadir ynddo. Ar gae chwarae 'hen ysgol hogia Llŷn' y
gwelais i hwnnw.

Hefo gŵr dygn fel R.S. yn ysgrifennydd, codai'r angen i bicio draw i'w weld ynglŷn â threfniadau gweithgarwch y Cyfeillion yn aml. Droeon ar yr achlysuron hynny, fe'i cwrddais yn cerdded yn bwrpasol ar ymyl y ffordd uwch clogwyni Porth Neigwl. Amdano byddai côt law lwyd heb ei chau neu gôt oel ddu oedd wedi gweld dyddiau gwell, a godre ei drowsus oddeutu chwe modfedd yn uwch na'i esgidiau yn ddieithriad. Ei ben yn noeth waeth sut dywydd oedd hi, a thros y sioc o wallt ar ei war llinyn du'r sbenglas oedd wastad yn barod dan ei frest. Ei lygaid fel rhyw eryr yn 'sgubo'r eangderau ac yn cribinio'r gwrychoedd.

Fe'i gwelais dro arall yn sefyll yn goeden lonydd ar y llwybr cerrig rhwng y giât a'r drws yn Sarn, gŵr tawel, prin yn anadlu, a thitw tomos yn bwydo'n ddiogel ar gledr ei law.

Daeth galwad un bore.

'Oes gynnoch chi ryw offer fyddai'n gwneud twll union faint hanner coron mewn darn o bren?'

Nid oedd y newid i'r arian degol na'r newid i'r drefn fetrig o fesur wedi cael fawr effaith arno. Mae'n rhaid bod fy meddwl i ar rywbeth arall, oherwydd wnes i ddim cysylltu'r cwestiwn ag unrhyw ddiben yn ymwneud â byd yr adarwr yr eiliad honno. Duwcs, damcaniaethwn, wrth deithio dros wastadeddau Neigwl tua'i fwthyn, a oedd R.S. am wneud powlen cetyn allan o bren ceirios o'i ardd? Oedd o am roi twll clo a dwrn newydd yn ei ddrws ffrynt? Y drws ffrynt du hwnnw na châi ei agor i 'bobl', chwedl yntau, llawer ohonynt wedi teithio milltiroedd i'w longyfarch ar ei awen. Roedd y geiriau 'Cartref R. S. Thomas' wedi eu hysgrifennu ar hwnnw mewn sialc gwyn, a dyna'r agosa' y câi'r ymwelwyr rheiny fynd at y bardd. Ynteu a oedd o am saernïo canhwyllbren newydd, efallai, i gynnal y fflam nosweithiol ar silff y ffenestr fechan ar y grisiau? Croesawai fi â'r un geiriau, yn yr un drefn bob tro y galwn.

'Cofiwch wyro eich pen, mae'r trawst yn isel iawn. Dewch i mewn,' a'i lais fel petai'n dod o grombil y bwthyn.

Cyn pen dim roedd o ar ei liniau ar y crawiau llechi, darnau o goed o'i gwmpas, a llif rydlyd, a morthwyl â'i goes wedi gweld dyddiau gwell ar y llawr o fewn cyrraedd iddo. 'Dyma fo union ganol yr hanner coron,' meddai, gan anelu bys crynedig at y fan. Fûm i ddim yn hir yn tyllu'r pren meddal a chwblhau'r bocs adar. Aeth ati wedyn i ffeilio ymylon y twll hanner coron ar y ddwy ochr cyn gosod y bocs yn ofalus ar goeden nid nepell o'i ddrws.

'Pam y maint arbennig, pam yr hanner coron, R.S.?' gofynnais.

' Hm. Mae hwn ar gyfer yr yswigw hirgwt.'

Nid wyf yn cofio'r enw Lladin a ddilynodd ganddo, ac ni fentrais ofyn iddo beth oedd yr enw Saesneg. Gwyddwn y byddai wedi ffrwydro pe gofynnwn am hwnnw iddo! Pan oeddwn yn ei gynorthwyo i glirio'r geriach a'r gweddillion darnau coed holais am frwsh, er mwyn i mi fedru 'sgubo'r llwch llif.

'Does dim angen,' meddai, 'mi lenwith y tyllau rhwng y llechi'n ardderchog'.

Na, nid oedd galw am Axminster ar lawr lolfa Sarn Rhiw; rocdd y crawiau llechi'n fwy cydnaws rywsut!

Nos Iau, 8 Gorffennaf 1993, roedd cyfarfod o bwyllgor y Cyfeillion wedi ei drefnu yn Neuadd Mynytho. Ni ddaeth R.S., ac yn anarferol iawn, nid oedd wedi mynychu'r pwyllgor cynt chwaith. Fe amneidiodd Gruff Parry, y Cadeirydd, arnaf i gadw'r cofnodion, fel ag y gwneuthum y tro blaenorol. Y bore canlynol, fe wnes gopi taclus ohonynt, ac wedi rhoi caniad i sicrhau bod R.S. adref, dyma fynd â nhw draw. Fe'm gwahoddwyd i mewn â'r geiriau cyfarwydd, ond y tro hwn cyfeiriodd fi i'r ystafell fechan hirsgwar i'r chwith o'r drws, lle'r arferai Elsi gysgu. Roedd rhai o'i phaentiadau yn dal yno fel y gadawodd hi nhw cyn ei marwolaeth yn 1991. Eisteddodd R.S. ar gadair wrth fwrdd bychan yn y gornel, a gallwn weld bod darnau o bapur yn dameidiau wrth ei draed. Roedd ei ysgrifen fras, yn amlwg mewn pensel, i'w gweld ar rai ohonynt. Cerddi, mae'n debyg, ond wnaeth o ddim cellwair, fel y gwnâi o, hefo rhyw sylw megis 'Rhyw bethau na ddôn'nhw ddim, dim ond gwastraff amser a phapur.'

Trosglwyddais y cofnodion iddo gan dynnu ei sylw at un mater o bwys. Roedd Ioan Mai wedi rhoi rhybudd o'i fwriad i ymddiswyddo ac felly byddai angen felly rhoi ystyriaeth i benodi cysylltydd newydd â'r wasg. Ddaru o ddim ymateb yn siomedig fel y disgwyliwn, dim ond rhyw syllu'n fud trwy'r ffenestr fechan tua'r bae. Ymhen ysbaid, troes i'm hwynebu'n benisel yr olwg ac yna bwriodd ei fol.

'Mae arna i ofn y bydd yn rhaid i chi chwilio am ysgrifennydd yn ogystal, rwy'n meddwl symud i'r Gororau am gyfnod.'

Fe daerwn fod cysgod wedi dod dros yr haul oddi allan ac oerodd yr ystafell wyngalchog am eiliad. 'Byddaf i ffwrdd dros y gaeaf, caf weld sut y bydd pethau wedyn. Ni welaf sut y gallaf barhau i deithio'n ôl a blaen i Lanandras at Beti. Mae'r siwrnai, dros gan milltir un ffordd, yn mynd yn dreth arnaf. Bu bron i mi â chysgu wrth y llyw wrth ddychwelyd y tro diwethaf. Dwi'n ei hadnabod ers blynyddoedd bellach ac mae llawer yn gyffredin rhyngom. Deuthum ar ei thraws pan oeddwn yn Rheithor Manafon, ac fe barhaodd y cyswllt tra oeddwn yn Eglwys-fach. Bu'n byw â phartner am flynyddoedd ac wedi claddu hwnnw, priododd ei gŵr presennol. Mae yntau'n naw deg a thair, yn fregus ei iechyd, a'r gofal amdano'n disgyn ar Beti. Mae ei merch, Alice, yn wael hefyd ac yn ddibynnol ar boteli ocsigen. Rwy'n teimlo y byddwn yn llawer mwy o ddefnydd iddi pe symudwn yno i fyw.'

Tawelwch am eiliad, ac yna, 'Gymerwch chi wydraid o sieri?'

Roeddwn innau'n fud! Gwyddwn am fodolaeth Beti ers noson ei benblwydd yn bedwar ugain ddiwcdd Mawrth y flwyddyn honno. Cawsom, yn griw bychan a wahoddwyd ganddo i'r gyfeddach, ein syfrdanu wrth weld y ddynes ddieithr yma yn ein mysg yn gwisgo côt ffwr ac yn ysmygu ei hochor hi. Doedd o ddim wedi yngan gair am ei bodolaeth tan hynny a ddaru o mo'i chyflwyno'n ffurfiol i'r un ohonom chwaith! Wrth ddatgelu'i gyfrinach, roedd yn gadael llawer i ni ddyfalu yn ei gylch! Yr hyn a'm cosai i oedd sut yn y byd y gallai oddef y mwg ac yntau'n wrthwyncbwr pybr i'r arferiad hwnnw? Ychydig ynghynt clywais R.S. yn bytheirio am ryw deithiwr mewn ystafell aros gorsaf drenau oedd yn tanio un sigarét ar ôl y llall ac yntau'n digwydd bod yn eistedd yn rhy agos at yr 'ynfytyn oedd yn chwythu ei wenwyn i'm cyfeiriad.' Ond roedd Beti'n wahanol! Eithr rŵan roedd o'n datgan ei fod o'n mynd oddi yma, a byddai bwlch mawr ar ei ôl.

Roedd o erbyn hynny wedi troi ei osgo tua'r ffenestr ac yn syllu drwyddi drachefn. 'Mi fydd gen i hiraeth garw am y môr wyddoch chi, – does na ddim môr yn fanno.' Dychwelodd gwên i'w wyneb wedi i mi ganfod fy llais a dweud bod Harri Webb yn dyheu am arfordir dwyreiniol i Gymru ac y byddai pethau'n iachach yn Llŷn petai hynny'n bod.

Daeth i'm hebrwng i ben y grisiau cerrig wrth y giât. Safodd yno'n edrych dros lesni Porth Neigwl cyn troi ei olygon tua mynyddoedd Eryri. Yna trodd ei ben yn araf i gyfeiriad Cadair Idris a'i lygaid fel pe'n treiddio drwyddi i gyfeiriad y Gororau. Trodd ataf yn sydyn, 'Dyna ydi nerth serch wyddoch.' Teimlwn innau'r chwithdod wrth sylweddoli na chaem lawer mwy o'i gwmni.

Dychwelodd i Sarn Rhiw ddechrau Mawrth 1994 hefo Beti i'w ganlyn, ond yn fuan daeth yn amlwg nad oedd Beti yn ymlyfu rhyw lawer yno, ac yn niwedd Ebrill gadawodd y ddau am Lanfair-yng-Nghornwy. Cyn iddynt fynd gwahoddwyd nhw acw i de. Cofiaf ei fod o'n eithaf tawedog, ond roedd Beti yn parablu'n ddi-baid, yn cymryd diddordeb yn y tŷ a'r olygfa allan dros draeth Marchros tuag at Benar a mynydd Ty'n Cwmwd. Toc, sylweddolodd hithau fod R.S. yn dawel, yn fodlon eistedd a gwrando, ac meddai, 'I've told him to speak Welsh to you, I understand a few words, I've lived in Wales long enough.' Yn rhyfedd iawn, wnaeth o fawr o ymdrech, dim ond gadael i'r sgwrs ddirwyn ymlaen yn Saesneg. Cofiwn innau am y troeon yn Sarn Rhiw – wnâi o byth droi i'r iaith fain wrth sgwrsio hefo mi o flaen Elsi, a minnau'n teimlo'n anghyfforddus oherwydd ei bod yn cael ei chau allan o'r sgwrs rhwng y ddau ohonom. Fedrwn i lai na holi yn fy meddwl wrth sipian fy nhe; pwy yw'r Beti hon, tybed, sy'n cael y fath ddylanwad ar R.S?

Ymhen deuddydd roeddan nhw'n mudo. Dau gariad wedi gwirioni, heb na byd na'i bethau'n mennu dim arnynt. Felly'r ymddangosai pethau. Yn ysbeidiol y gwelais nhw rhwng hynny a'i farwolaeth ym Mhentrefelin ar 25 Medi 2000. Ym mhob cyfarfyddiad ag o yn ystod ei ddwy flynedd olaf cawn y teimlad ei fod yn hiraethu am Sarn Rhiw yn swatio yn y coed a thonnau Porth Neigwl yn llepian oddi tano yn yr Hoewal. Roeddwn innau fel llawer un arall yn teimlo chwithdod mawr ar ei ôl, ond hwyrach mai'r chwithdod mwyaf oedd gorfod derbyn mai meidrolyn oedd R. S. Thomas wedi'r cyfan. Nid nad oeddwn i'n gwybod hynny'n iawn wrth gwrs, ond roeddwn i'n meddwl y byd ohono, ac mae pobl yr ydych yn meddwl y byd ohonynt yn gallu bod yn rhy fregus i'w hedmygu ar adegau.

Cyfaill a Gwladgarwr

Geraint Jones

Ar 29 Mawrth 1993, roedd R. S.Thomas yn bedwar ugain oed. Penderfynodd rhai o'i gyfeillion drefnu parti i ddathlu'r achlysur, y parti hwnnw i'w gynnal yng ngwesty Plas-yr-Eifl, Trefor. Aeth Alwyn Pritchard ati i'w drefnu ac aeth at R.S. i gael enwau'r gwahoddedigion – o ddewis y bardd ei hun – gan gyfyngu'r nifer i un ar hugain, yn cynnwys R.S. Lluniwyd y rhestr yn eitha di-lol, ond mynnodd R.S. fod Alwyn yn cadw lle i 'un arall'. Pan ofynnwyd am enw'r un arall, gwên foddhaus, mwy neu lai, oedd unig ateb y bardd.

Noson y parti pen-blwydd, a phawb wedi ymgynnull yn gytûn yn yr un lle, a Gruffudd Parry, Cadeirydd Cyfeillion Llŷn, i gyflwyno rhodd i R.S. ar ran yr oll o'r gwahoddedigion, gwelwyd mai dynes, a honno'n ddynes gwbl ddiarth, oedd yr ail enw ar hugain, yr 'un arall' honno roedd y bardd am gadw lle iddi wrth fwrdd y wledd.

Dechreuodd pawb holi'n frwd ymysg ei gilydd, a neb – o Foses Glyn i Ioan Mai, o Wil Sam i Arfon Huws, a hyd yn oed Rhian Rhydbengan Bach oedd, fel rheol, yn gwybod popeth o bwys (wel, popeth mewn gwirionedd) am R. S. Thomas – ag obadeia pwy oedd hi. Sylwyd ei bod yn hollol ddi-Gymraeg a'i hacen yn awgrymu cysylltiad â gogledd America. Roedd ganddi lipstic fflamgoch llachar fel Greta Garbo gynt. Smociai fel stemar a hynny drwy sigarét-holdar arian crand. Pwy gebyst oedd y ddynes, tybed? Ond doedd neb am fentro gofyn.

Wedi cyfnod ymgynghorol pur anesmwyth, wedi'r holl sibrwd a'r dyfalu, penderfynwyd gofyn i'r bardd pwy oedd y fodan; ond doedd yna affliw o neb oedd yn fodlon gofyn, a'r diwedd fu i'r lleill fynnu mai fy nyletswydd i, fel llywydd y noson, oedd ceisio datrys y dirgelwch a datod cwlwm cêl serch R. S. Thomas, bardd a gŵr gweddw. Euthum ato'n hwyrfrydig a phetrus ddigon.

'Ydach chi'n bwriadu cyflwyno'r ledi i ni, Bardd?'

'Nacdw!'

Distawrwydd llethol, a'r ledi'n dangos rhesiad o ddannedd gosod gloywon rhwng y ddwy wefl danbaid, a gweddill y criw yn cymryd arnynt beidio â gwrando.

'Ydach chi am ddeud wrthan ni pwy ydi hi 'ta?'

Dathlu'r pen-blwydd arbennig ym Mhlas-yr-Eifl

'Nacdw!'

'Pam, felly, R.S.?'

'Meindiwch eich busnes, ddyn!'

A dyna roi caead di-lol ar biser chwilfrydig cyfeillion busneslyd. Dyna hefyd ddangos R. S. Thomas yn ei blaendra diflewyn-ar-dafod, ambell dro yn ddigon pigog, ambell dro'n ddireidus, ac amal dro yn beryglus o agos at ryfyg. Mae hanesion cyffelyb amdano bellach yn lleng ac yn rhan annatod o lên gwerin gwlad Llŷn.

Caniatewch i mi roi dwy enghraifft arall i chi o'r math o atebion cwta a swta a di-dderbyn-wyneb a nodweddai ei ymddygiad mor aml.

Flynyddau'n ôl, yn fuan wedi dyfodiad R.S. yn ficer i Aberdaron, cynhaliwyd cyfarfod pwysig dros ben o Siapter Esgobaeth Bangor yn un o eglwysi Llŷn. Breintiwyd y cyfarfod â phresenoldeb prif siaradwr pwysig iawn, iawn, un o gyn-esgobion amlycaf Cymru. Cafwyd anerchiad maith gan y cyn-esgob hwn, anerchiad oedd yn drymlwythog o ddiwinyddiaeth astrus y Deugain Erthygl Namyn Un, ac yn dilyn y cyfryw anerchiad ysblennydd gofynnwyd am sylwadau o'r llawr. Ni chafwyd unrhyw ymateb o gwbwl gan y gynulleidfa swrth a chysglyd, a'r distawrwydd llethol yn achos peth embaras i lywydd y cyfarfod. Chwiliodd hwnnw am ddraenen i gau'r adwy fel petai. Gofynnodd i'r dyn rong a chafodd bigiad gan ddraenen lawer miniocach na'r disgwyl.

'Y Parchedig R. S. Thomas, ficer Aberdaron, dwi'n siŵr bod gynnoch chi, fel bardd a diwinydd, rywbeth buddiol i'w ddweud am gynnwys anerchiad tra goleuedig ein siaradwr gwadd galluog.'

'Nagoes! Doeddwn i ddim yn gwrando!'

Ac yna'r hanes rhyfeddol hwnnw amdano ar noswyl y Nadolig yn hen eglwys Llanfaelrhys, ac yntau ar y pryd, rywle yng nghyffiniau'r allor, yn ymbaratoi ar gyfer y gwasanaeth carolau oedd, wrth gwrs, yn wasanaeth cwbwl Gymraeg. Gwaeddodd y clochydd neu'r warden arno o gyffiniau'r drws ym mhen arall yr eglwys, 'Mistar Tomos! Dder âr sym Inglish ffrends hiar wudd ys tw-nait!'

Taranodd llais yr efengyl drwy'r côr a'r gangell, 'So what! Gawn ni gydganu'r garol gyntaf, "Awn i Fethlem bawb dan ganu,"' A dyna roi terfyn, â deuair lled-goman, ar ddyheadau dwyieithog y clochydd a'r 'Inglish ffrends'.

Fel yna'n union roedd o yn ei wleidyddiaeth. Do, fe sgrifennwyd llawer amdano wedi ei farw – llawer gormod o bethau na feiddiai rhai awduron hunandybiedig eu hyngan pan oedd R.S. yn fyw. Mor rhwydd yr aeth dychymyg ambell goffäwr yn rhemp. Peth arall ddwedwyd, fel y gallasech ddisgwyl, oedd mai unig waddol y gŵr mewn gwirionedd oedd ei farddoniaeth. Hynny'n unig fyddai'n para wedi'r cnebrwng. Ystyr honiad ffôl o'r fath, wrth gwrs, ydi fod ei ddaliadau a'i frwydrau gwleidyddol, yn y pen draw, yn gwbwl ddibwys ac amherthnasol.

Yng ngolwg rhai, gan gynnwys nifer o bobl swyddi breision a'u galwent eu hunain yn wladgarwyr (a cheir cannoedd o'r cyfryw yn ein Cymru wlanog ni), rhyw granc gwleidyddol oedd o, rhyw ecsentrig digri, rhyw anathema enigmaol. Y gwir amdani, wrth gwrs, ydi ei bod hi'n llawer iawn haws, ac yn llai tramgwyddus i Gymry saff a thaeog, boed wleidydd, boed academydd, boed fardd, boed fridiwr geifr a chwain, i ganmol hyd at syrffed farddoniaeth R. S. Thomas, y peth amlwg hwnnw, y 'jwg ar seld', ac anwybyddu'n barchus

R.S., Geraint Jones ac Alwyn Pritchard o flaen Senedd-dŷ Owain Glyndŵr

braf a chyfleus y pethau hanfodol, sef ei wleidyddiaeth eithafol a ffôl. Cafodd y Western Mule a Tail y Post sgŵp ar ôl sgŵp, a chafodd Llywydd y Cynulliad, Meilórd Elis-Tomys, boeri'i wawd arno – 'Ffasgydd! Ffasgydd! Le Pen! Le Pen!' Ond roedd R. S. Thomas yn ganmil mwy dyn na'r hôl job lot ohonyn nhw.

Siŵr iawn y bydda fo'n siarad yn ymddangosiadol eithafol – beth bynnag ydi maen prawf eithafiaeth – a hynny'n gwbwl fwriadol, yn procio a phryfocio, yn cynnig chwyldro, ei galon gynnes wladgarol yn serennu ar ei lawes, a'i gariad diamheuol at y Gymraeg a Chymru yn eirias ac angerddol er gwaetha ambell baradocs amlwg. Doedd hel dail ddim yn un o'i swyddogaethau ac ni oddefai ffyliaid na rhagrithwyr, yn arbennig rhai o Gymry 'ych-a-fi' y Sefydliad Cymreig, fel y'u galwai.

Gwleidyddiaeth ddigyfaddawd oedd gwleidyddiaeth R. S. Thomas. Peidio â chyfaddawdu oedd hanfod pob protest, a'r un yn fwy felly nag anathema'r gwleidyddion Cymreig ofnus, llwfr, pleidleisgarol a swyddgarol – 'Wynebu'r Mewnlifiad'. 'Tai Cymru ond wedi gwrando

Geraint Jones, Neil ap Siencyn ac R.S. mewn rali yn Aberystwyth

arno fo, Meredydd Evans ac eraill chwarter canrif yn ôl.

Ar y mater hwnnw, cefais y fraint ddiangof o rannu'r llwyfan ag o droeon. Na, nid rhannu'r llwyfan yn gymaint, ond ei gnesu rhyw fymryn – ei baratoi ar gyfer datganiadau ysgubol-ddadleuol y bardd. Ydach chi'n cofio'r rali fawr honno chwarter canrif a rhagor yn ôl, pryd y dadorchuddiwyd cofeb y tri gwron ym Mhenyberth, Llŷn?

Rhyw wythnos cyn y cyfarfod galwodd acw i gael rhyw syniad o'r hyn y bwriadwn i ei ddweud yn y rali, hynny, meddai, 'rhag ofn i ni ddeud yr un peth'. Yr un peth? Yr un peth? Brensiach annwyl! Doedd dim peryg i hynny ddigwydd o gwbwl oherwydd roedd datganiadau'r bardd bob amser yn gwbl unigryw. Doedd dim ystrydeb yn agos i'w enau, a doedd plesio cynulleidfa byth yn nod unrhyw anerchiad ganddo. Yn wir, i'r gwrthwyneb yn hollol.

Ym Mhenyberth cafwyd ffrwydriad o araith ganddo – nid unrhyw huotledd neu rethreg ond yn hytrach ei ddefnydd o ddau air syml – 'byddin' a 'cudd', a'r ail wedi'i dreiglo'n feddal – 'byddin gudd'. Gwallgofodd y cyfryngau, gyda Sulwyn Thomas druan a'i Stondin yn drybestod, a'r creadur yn methu a gwneud na rhych na rhawn o'r hyn a alwai R.S. yn 'ddehongliad y dychymyg' ac yn 'hawl bardd' i ddweud beth a fynnai. Cadwodd sylw crefftus R.S. *Stondin Sulwyn* yn brysur am wythnos gron, gyfan.

Yn Steddfod Porthmadog, flwyddyn yn ddiweddarach, cawsom stori anfarwol y cyw teigar a pherchnogion y cyw hwnnw yn ceisio siarad iaith teigar. Yn fwy na hynny, cafwyd ei ddatganiad penagored syfrdanol y 'gellid cyfiawnhau unrhyw beth' i rwystro'r mewnlifiad rhag boddi'r fro Gymraeg. Aeth cadeirydd y cyfarfod, Dafydd Iwan, yn benwan ac i banig llwyr, ac aeth Sulwyn a'i Stondin ddyddiol, unwaith yn rhagor, ar chwâl am rai dyddiau. Dim ond gan R. S. Thomas, rywfodd, roedd yr hawl i fynd dros ben llestri yn y fath fodd.

Galwai acw, yn tŷ ni, yn aml – yn rhannol am sgwrs, ac yn rhannol am fwyd. Byddai'n aros am oriau bwygilydd. A dyna i chi beth oedd cwmnïwr! Y fath hiwmor coeglyd, a'r ymgomio hamddenol yn cyffwrdd pob pwnc dan haul, ond yn bennaf, fel y gallasech ddisgwyl, lenyddiaeth a gwleidyddiaeth, ac yn arbennig frwydr yr iaith. Roedd cerddoriaeth hefyd ar y rhestr, ond pur anaml y codai crefydd ei ben, oherwydd, yn ôl ei gyfaddefiad ei hun, 'does gen i fawr o grefydd, mewn gwirionedd'. Cyfaddefai ei fod yn amheuwr digon diedifar, cyfaddefiad a ddatgelodd droeon i amryw o'i gyfeillion.

Ystyriaf yr oriau hynny yn ei gwmni ymysg oriau mwyaf pleserus fy mywyd, ac yn arbennig pan fynnai (ac roedd hynny'n aml) fynd allan o'r tŷ ac am dro i'r caeau. I fyny drwy Cae Main Maesnuodd ac ar hyd Lôn 'Reifl heibio Llwyd-pric, a'i gorffen hi yn Nant Bach a'r Gorllwyn. Roedd fanno – i'r ddau ohonom – yn nefoedd ar y ddaear. Yno, yn hen, hen dawelwch oesol Ffolt y Farches uwchben Cerrig Mawr, lle bwria clogwyni aruthrol mynyddoedd yr Eifl eu traed yn yr heli, lle mae harddwch dihenydd y cread yn cipio'ch anadl yn ddi-feth, y bwriem drem draw heibio'r Fraich Las am Nant Gwrtheyrn a Charreg y Llam a Thrwyn Portin-llaen. Roedd cwmni R.S. ar achlysuron o'r fath fel mêl y duwiau.

'Ddowch chi am ryw fwrins bach yn y cwch hefo fi fory, Bardd? Maen nhw'n gaddo tywydd braf.'

'Dim diolch yn fawr.'

'Mi ddaliwn ni bwcedaid o fecryll i swpar.'

'Dim diolch yn fawr. Maen nhw'n llawn o Strontiwm 90 yr Wylfa, gwenwyn!'

'Mi gewch chi gymanfa odidog o adar yng Ngharreg y Llam.'

'Mi fedra i eu gweld nhw cystal o'r lan.' Hynny'n amhosib, wrth gwrs.

Dros ei grogi, er taer gymell dro ar ôl tro, ddôi o ddim ar gyfyl cwch. Ond gwn, serch hynny, y'i cyfareddid yn ddi-feth gan sŵn hiraethus ymchwydd tragwyddol tonnau'n torri ar y traeth. Ac fe fynnai fynd i olwg y môr hyd yn oed – neu'n hytrach, yn arbennig – ar ddydd Nadolig.

Acw, atom ni, y buo fo'n dŵad am ei ginio Dolig wedi iddo golli ei wraig. Afraid dweud mai dyma un o'n breintiau mwyaf ni fel teulu. Ei drefn fyddai cyrraedd cyn hanner dydd i groesawu Morgan a minnau, ill dau'n lluddedig a llwglyd wedi teirawr rynllyd o ganu carolau gyda'r band ar strydoedd y pentra drwy'r bore. Yr un jôc fyddai ganddo ar ein cyfer bob blwyddyn, a honno'n glamp o jôc sâl.

'Roedd trombonau'r seindorf allan o diwn!'

'Ha, ha!' – nid oherwydd y jôc ond oherwydd mai R.S. oedd yr unig ddyn yn y cread a alwai drombôns yn drombonau.

Yna, llond bwrdd o'r arlwy Nadoligaidd arferol.

'Dowch, Bardd,' meddwn, 'stynnwch fel sa chi gartra. Da chi, cymrwch fwy o sbrowts na hynna.'

'Ylwch, Geraint,' atebodd yn ddigon pigog, 'ysgewyll fydda i'n eu galw nhw!'

Daw Sheena ngwraig o'r gegin gefn.

'Gymrwch chi chwanag o sbrowts, Bardd?'

'Ylwch. Dwi newydd ddeud wrth eich gŵr gwirion, tawn i rywfaint haws, mai ysgewyll ydi enw'r llysiau yna!'

'O.'

Ond i ddychwelyd at bwnc yr iaith ac at ei athroniaeth wleidyddol a'i weledigaeth glir. Ie, gweledigaeth glir a syml. Un iaith i Gymru. Fe'i clywais yn datgan droeon, a hynny ag angerdd mawr, pa mor gas ganddo oedd gorfod barddoni yn Saesneg, ei famiaith. Rhoddai'r byd yn grwn am gael bod yn fardd Cymraeg. Ar un ystyr, casâi'r iaith Saesneg, a hynny oherwydd y dinistr a achosai i'r iaith Gymraeg, a thrwy hynny i hunaniaeth y Cymry. Hon oedd yr unig frwydr genedlaethol gwerth ymboeni yn ei chylch. Dyfynnaf o'i hunangofiant – 'yn ddistaw bach melltigaf eu hiaith hwy.' Yr 'hwy' yn fanna ydi'r Saeson.

Mynych y dywedodd wrth nifer ohonom petai'n rhaid iddo ddewis rhwng ei holl farddoniaeth ac achub yr iaith Gymraeg y cawsai ei holl waith fynd i ebargofiant. Cyfeiriai'n aml, aml at eiriau ei arwr Saunders Lewis yn y gyfrol *Canlyn Arthur*, geiriau'n wir a fabwysiadodd fel un o'i brif athroniaethau gwleidyddol, sef condemniad llwyr o'r cysyniad cyfeiliornus o Gymru ddwyieithog. Yn un peth, celwydd noeth ydi dweud bod Cymru'n wlad ddwyieithog. Mae tua 80% o boblogaeth Cymru yn gwbl uniaith – yn uniaith Saesneg! Meddai Saunders Lewis, i gyfeiliant amengar R. S. Thomas, 'Meddyliau gwamal yn unig a fedr ddygymod â'r fath ofer amcan. Drwg, a drwg yn unig, yw bod Saesneg yn iaith lafar yng Nghymru. Rhaid ei dileu hi o'r tir a elwir Cymru – *delenda est Carthago*.' Roedd R.S. wrth ei fodd â'r geiriau yna, ac fe'u dyfynnai'n aml. Dyna oedd gwraidd ei wleidyddiaeth yntau. A dyna i chi beth ydi gwleidyddiaeth.

Yn wir, hyn oedd ei hiraeth mawr, hyn oedd crwsâd ei fywyd, hyn oedd hanfod ei obeithion a'i loes. Nid cael bod yn fardd byd-enwog ac yn eilun coridorau dysg a llên, ond gofalu bod yr iaith Gymraeg yn gwisgo'i nerth a'i hen ogoniant yng ngwlad Llŷn a Chymru. Wrth gwrs, roedd dysg yn bwysig ganddo, ac roedd gan goleg Bangor, ac yn arbennig yr Adran Gymraeg, le cynnes iawn yn ei galon. Ond Prifysgol Cymru? Mynych eto y'i clywyd yn dyfynnu ymadrodd crafog Saunders Lewis am 'y sefydliad Seisnig a elwir yn Brifysgol Cymru', a sylwadau deifiol S.L. amdani yn ei ddarlith *Tynged yr Iaith*, 1962. Mynych hefyd y dywedodd mai un o frwydrau mwyaf allweddol, yn wir, mwyaf hanfodol y Gymraeg yn y ganrif newydd fyddai'r un i sefydlu Coleg Prifysgol Cymraeg, yn unol, i raddau, â breuddwyd ysblennydd ei arwr mwyaf, Owain Glyndŵr.

Gair i gloi. Cynhysgaeth wleidyddol R. S. Thomas, waeth pa mor rhagorol ei gerddi, ydi'r gwaddol pwysicaf – a'r mwyaf parhaol, gobeithio – a adawodd y bardd i ni, Gymry claf yr unfed ganrif ar hugain. Y wleidyddiaeth ddiwylliannol hon, eang ei gorwelion, cytbwys a gwareiddiol ei chynnwys, digyfaddawd ei chân, herciog ei llwybrau, blaenllym ei hanogaeth ac angerddol ei chalon, ydi gwir destament olaf cyfaill hoff y mae'r ing o'i golli a'r hiraeth amdano yn dal hefo ni, a Chymro gwirioneddol fawr. Yng ngeiriau diangof englyn Alan Llwyd, un o brifeirdd Llŷn:

> Mynnaist, drwy'r iaith a meini dy eglwys
> Greu deuglawdd cryf inni
> Rhag i'r môr estron donni
> Dros draeth ein hunaniaeth ni.

Y Cymydog a'r Adarwr

Ann Owen Vaughan

lywais ei enw am y tro cyntaf pan oeddwn yn astudio'i farddoniaeth yn y cwrs Llenyddiaeth Saesneg, Lefel O, yn Ysgol Botwnnog. Wedi dyddiau ysgol a dilyn cwrs athrawes yn y Coleg Normal, cefais swydd yn Ysgol Deunant, Aberdaron. Yno roedd Mr John Morris yn brifathro a Mrs Mary Roberts yn dysgu'r adran iau. Ar fore cyntaf pob tymor deuai R.S. i'r ysgol i gynnal gwasanaeth i blant yr adran honno, ond nid drwy'r ysgol yn unig y tyfodd fy adnabyddiaeth ohono.

Ar y pryd roedd sôn mawr am sefydlu papur bro yn Llŷn ac arferid cynnal y cyfarfodydd llywio yn Neuadd Mynytho. Roedd yno nifer dda ohonom, pawb yn frwdfrydig, ac yn ein plith, yn fwy brwdfrydig na neb, R. S. Thomas. Rhywfodd felly y datblygodd y cyfeillgarwch rhyngom – cyfeillgarwch a barhaodd hyd y diwedd.

Rai blynyddoedd ar ôl lansio *Llanw Llŷn* ym Mawrth 1976, symudais i fyw i Dalafon, sydd yn llythrennol ar waelod gallt Y Rhiw. Roedd R.S. ac Elsi eisoes yn Sarn Rhiw erbyn hynny ac yntau wedi ymddeol o'i fywoliaeth yn Aberdaron. Oddeutu pedwar can llath sydd rhwng y ddau le ac felly nhw oedd fy nghymdogion agosaf. Cartrefol iawn oedd Elsi ond byddai R.S. yn galw'n aml i'm gweld ac i wneud yn siŵr fy mod yn iawn. Cyn bo hir symudais o Dalafon i Salfur, yr ochr arall i'r mynydd, ond daliai i alw.

Ni allech fod yn ei bresenoldeb yn hir heb i chi ddod yn ymwybodol o'r hynodrwydd a berthynai iddo. Nid bod hynny'n fater o bwys mawr. Dan yr wyneb roedd o'n gymydog hynod garedig a chymwynasgar. Roedd o hefyd yn gysáct iawn ei natur. Codai'n gynnar a mynd am dro ar hyd Lôn Ty'n Rhos cyn brecwast. Dechreuai ar ei ddarllen, ei fyfyrio a'i ysgrifennu yn syth wedyn. Treuliai'r prynhawniau yn cerdded yr ardal yn gwylio adar. Gyda'r nosau byddai'n galw i weld ei gymdogion. Dyna'n ddi-feth fyddai patrwm ei ddiwrnod oni bai ei fod ar grwydr yn rhywle. Deuai'r cysactrwydd yn amlwg yn ei ymwneud â phwyllgor *Llanw Llŷn* hefyd. Y drefn wrth deithio i bwyllgorau fyddai fy mod yn rhannu car efo fo a Gareth, Rhydbengan. Os oedd y pwyllgor yn dechrau am wyth, byddai'n disgwyl i mi ei godi am bum munud ar hugain wedi

R.S. ac Idwal Vaughan ym
Mryn Gwylan, Llangernyw

saith. Ymlaen wedyn yn ddiymdroi am Rydbengan fel bod modd cychwyn oddi yno ymhen ychydig funudau a chyrraedd y pwyllgor mewn pryd. Roedd y drefn honno fel deddf y Mediaid a'r Persiaid!

Byddai'r sgwrsio'n ddifyr yn y car ar y teithiau rheiny. Ambell dro, os byddai wedi cael ei wylltio gan agwedd wamal y Cymry tuag at eu cenedligrwydd, byddai R.S. yn bytheirio. Y 'Saes-Gymry' chwedl yntau fyddai'n ei chael hi ganddo. Baw isa'r domen oedd y rheiny iddo ar yr adegau hyn, pobl oedd yn ei gwneud hi'n dda o fod yn Brydeinwyr ac yn Gymry: Prydeinwyr yn gyntaf, Cymry'n ail wrth gwrs. Dim ond ychydig raddau'n uwch, yn ôl llinyn mesur R.S., oedd y Cymry sy'n fodlon derbyn anrhydeddau brenhines Lloegr am eu gwasanaeth i Gymru ac yn mynd ati wedyn i leddfu'r gydwybod hefo'r cyfiawnhad tila mai er mwyn Cymru yn hytrach nag er eu mwyn nhw eu hunain y derbyniwyd hwy ganddynt. Arferem dynnu arno ar adegau felly, er mwyn i ni gael gwybod eu henwau!

Dwi'n cofio un o ymweliadau cyntaf R.S. â Salfur. Ar ôl sylwi bod terfyn yr ardd yn foel a digysgod, mynnai fod yn rhaid wrth amgenach gwrych i dynnu'r adar yno. Ar ei ymweliad nesaf daeth â thoriadau Escalonia o'r ardd yn Sarn, a fu o fawr o dro yn palu rhych ac yn sodlu'r rheiny yn y ddaear. Eithr nid gwrych i nythu ynddo'n unig a gafwyd; fe blannodd goeden aeron fel bod bwyd ar eu cyfer hefyd.

Cerddai'n dalsyth yn ei gôt law hir, ddu, efo'i sbenglas yn ei law, a'i wallt hir yn chwifio yn y gwynt pan gyfarfyddwn ag o'n aml ar y ffordd adref o'r ysgol. Tynnwn y car i'r ochr ac fe blygai yntau i'r ffenestr i sgwrsio. Fyddai o byth yn trafod y tywydd a rhyw fanion felly wrth arwain sgwrs, ond fe gawn stôr o wybodaeth am yr aderyn yr oedd o newydd ei weld neu'r nyth yr oedd wedi ei ddarganfod. Pe byddai'n sôn am y tywydd, byddai hynny ynghlwm â ffenomenon ddiddorol megis 'ymchwydd yr Iwerydd'. Rhyw sŵn tebyg i daran ymhell allan yn y môr ydi hwnnw, ac fe'i clywir yn blaen ym Mhorth Neigwl ar dywydd tawel. Tywydd mawr gannoedd o filltiroedd i ffwrdd yng nghanol yr Iwerydd yw'r achos, meddan nhw, a bydd storm yn cyrraedd y glannau o fewn deuddydd neu dri wedyn.

Yn ystod y gwanwyn byddai'n arferiad gennym fynd â'r plant am dro o gwmpas yr ardal fel rhan o'u haddysg. Cychwyn am y pentref cyn troi i'r dde am Ddwyros ar daith gylch yn ôl i'r ysgol. Byddai'r plant, yn naturiol, wrth eu bodd yn cael cefnu ar yr ystafell ddosbarth ac yn llawn egni wrth sylwi ar fyd natur yn ei ogoniant. Roeddan nhw'n dod i adnabod blodau, ac i wybod am adar a'u nythod. Canlyniad eu brwdfrydedd oedd maint bwrdd natur y dosbarth – pob plentyn wedi dod â rhywbeth i'w gyfoethogi. Roedd R.S. wedi sylwi ar hynny ac eisoes yn gwybod yn iawn mai ym myd natur yr oedd fy niddordeb innau. Un diwrnod gofynnodd i mi a oeddwn wedi gweld y barcud coch? Doeddwn i ddim, a'i gwestiwn nesaf oedd, 'Beth ydych yn ei wneud ddydd Sadwrn?' Doedd gen i ddim cynlluniau, a'i ymateb nodweddiadol gysáct oedd, 'Iawn, mi awn am dro am Gwmystwyth. Mi fyddwn ni'n cychwyn am hanner awr wedi wyth.'

Ar y ffordd yno bu'n trafod amrywiol bynciau – o sefyllfa'r iaith i ddirywiad rhai mathau o adar. Bu'n sôn am feirdd, ond 'run gair am ei farddoniaeth ei hun. Cyfeiriodd hefyd at lyfr *The Birds of Britain and Europe* (Heinzel, Fitter a Parslow). Yn fuan wedyn prynodd hwnnw'n anrheg i mi, llyfr a ddyfnhaodd fy niddordeb yn y pwnc. Pan fyddem wedi bod yn rhywle ar ein teithiau gwylio, cofnodwn bob aderyn a welwn yn y colofnau pwrpasol ynddo – y math o aderyn yn y golofn chwith, y dyddiad yn y golofn ganol ac enw R.S. fel tyst i'r ffaith honno yn y golofn dde.

Welson ni mo'r barcud yng Nghwmystwyth y diwrnod hwnnw. Fe'i gwelais am y tro cyntaf – yn ôl yr hen lyfr – yn Rhos-goch, Tal-y-Llyn ar 20 Chwefror 1982. Ar 10 Medi 1983 roeddem yn cyfarfod Bill a Penny Condry yn

Ynys-hir. Roedd R.S. a Bill Condry yn gyfeillion mawr ac yn gyd-adarwyr. Y nhw ill dau, wrth gwrs, sicrhaodd bod y warchodfa yno yn eiddo cyhoeddus. Cofiaf fod llawer o dynnu coes rhyngddynt – y ddau cystal â'i gilydd hefo'u sylwadau tafod yn y boch. Dyma'r tro cyntaf i mi weld yr ochr gellwerus ohono yn iawn. Byddai ei weld felly wedi dryllio'r syniad a goleddai llawer ei fod yn ddyn sych. Eto, a bod yn deg, roedd R.S. yn medru rhoi'r argraff mai un haearnaidd, dihiwmor ydoedd ar adegau! Yno'r diwrnod hwnnw gwelsom y rhostog gynffon fraith, pibydd yr aber, môrwennol ddu a phibydd coesgoch mannog. Diwrnod ardderchog i lenwi'r colofnau! Ar ymweliad â Malltraeth ar 28 Medi 1985 gwelaf bod y pibydd canbig a'r pibydd bach wedi eu cofnodi – adar na fuaswn erioed wedi eu gweld, fwy na thebyg, heblaw am lygaid craff R.S. yn fy nghyfeirio tuag atynt. Ambell dro byddai'n dod â'i delesgob yn ogystal â'i sbenglas, a byddai'n rhoi benthyg hwnnw i mi gael edrych yn fanylach ar yr adar.

Cuddfan adar R.S.
Thomas yn Ynys-hir

Un mis Medi, er bod y tymor ymwelwyr drosodd fwy neu lai, roedd Aberdaron dan warchae a'r lle'n fwrlwm. Allech chi ddim cael lle mewn gwesty, tŷ na thwlc i roi eich pen i lawr! Adarwyr o bob cwr o wledydd Prydain oedd wedi lled-feddiannu'r lle, a hynny oherwydd un aderyn – y cigydd bach. Roedd wedi dewis defnyddio'r fynwent fel canolfan iddo'i hun yn ystod ei ymweliad! Byddai'n gadael tameidiau o'i brae ar weiren yno ac yn picio'n ôl a blaen atynt pan fyddai chwant bwyd arno. Ffoniodd R.S. ben bore i ddweud ei fod yn dod i'm nôl yn syth ar ôl ysgol, gan nad oedd am i mi golli'r cyfle i'w weld. Gan fod yno gynifer o adarwyr ar ei drywydd, roedd yr aderyn yn hedfan o un lle i'r llall, heb aros yn ei unfan yn hir! Mae angen tipyn go lew o lwc wrth wylio adar, yn enwedig rhai prin; rhaid bod yn y lle iawn ar yr adeg iawn. Eithr drwy ddycnwch R.S. a'i ddyfal chwilio, cefais roi cofnod yn y llyfr y diwrnod hwnnw. Wrth gyfeirio at adar prin, fe'i cofiaf yn dweud yn gellweirus, ac yntau wedi bod yn aros oriau i gael cip ar un ohonynt ym Mhorth Meudwy, ei bod yn werth yr aros. 'Go brin,' meddai, 'y byddai gen i'r amynedd i aros cymaint â hynny wrth Dduw!'

Roedd rhywun yn dysgu llawer am y grefft o wylio adar yn ei gwmni. Aeth â mi i ben Mynydd Mawr un prynhawn i wylio adar y môr. Gallaf ein gweld rŵan yn cerdded y llwybr o dan gwt Gwylwyr y Glannau, yn symud yn ofalus i lawr y llethr serth a chreigiog fel ein bod mewn safle dda uwchben arfordir y Swnt. Roedd yn rhaid aros yno'n bur llonydd rhag tarfu ar yr adar. Roedd yr hen gôt oel ddu wedi rhwygo i lawr ei chefn a honno'n chwyrlïo o boptu iddo bob tro y safai ar ei draed. Ymdebygai i eryr anferth. Serch hynny, ni fu'n ormod o fwgan i'r adar a chawsom weld llawer ohonynt cyn iddi fachlud.

Cofiaf iddo drefnu i fynd ar wyliau i Ynysoedd Scilly un Hydref. Yn anffodus iawn, syrthiodd Elsi a thorri ei chlun ychydig cyn iddo fynd. Yn naturiol, oherwydd y ddamwain, nid oedd am gychwyn; ond ar ôl iddo gael sicrwydd fod pawb o'r cymdogion am alw heibio yn eu tro a phopeth wedi ei drefnu fel wats, penderfynodd y gallai fynd. Mae'r cerdyn post a anfonodd, yn dangos llun o'r goleudy, yn dal gennyf yng nghanol y nodiadau a'r llythyrau a gefais gan y ddau yng nghwrs y blynyddoedd.

Byddai ymweliad â Sarn Rhiw yn cadarnhau mai dau'n byw bywyd syml, heb fawr o foethau, oedd yno. Eithr roedd croeso gwresog bob tro y galwech; un da oedd R.S. am droi ei law at wneud cacennau bach llawn cyraints. Roedd o hefyd yn giamstar ar wneud siampên ysgaw. Mi fedra i eu blasu nhw rŵan!

Cafodd R.S. wahoddiad i fod yn Llywydd y Dydd yn Eisteddfod Genedlaethol Llangefni yn 1983. Nid oedd Elsi am fynd, a gofynnodd i mi fynd efo fo'n gwmpeini. Felly y digwyddodd, ond nid aethom ar ein hunion tua'r Eisteddfod chwaith! Doedd wiw meddwl am hynny; roedd o'n gyfle rhy dda i fynd i wylio adar! Trefnwyd i fynd â phicnic efo ni yn ôl ein harfer; cyrraedd y Foryd yng Nghaernarfon, lle buom ni wedyn yn eu gwylio am beth amser. Taclo'r picnic wedyn – brechdanau Elsi, ac roedd R.S wedi dod â phecyn o fanana wedi'i sychu. Er iddo geisio fy narbwyllo eu bod yn bethau llesol i'r treuliad, ac iddo wthio dyrnaid arnaf, doeddwn i ddim yn rhy hoff ohonyn nhw. P'run bynnag, wrth weld yr amser yn cerdded, fe'i hatgoffais ei bod yn hen bryd mynd i'r Eisteddfod! Rhwng y picnic a'r adar niferus eu rhywogaethau ar y Foryd, aeth yn ras i ailgychwyn am Langefni ac yn rhuthr i gael lle i barcio. Cofiaf fynd i chwilio am fy sedd yn y pafiliwn a rhyw stiward yn awgrymu'n gellweirus, wrth fy ngweld yn ei gwmni, fy mod yn rhywun pwysig, rhywun i eistedd yn y rhesi blaen. 'Na,' meddwn innau, 'dwi'n neb wy'chi.' 'Hm, na finnau,' ebychodd R.S! Y peth diwethaf ar fy meddwl oedd chwarae hefo geiriau, ond *Neb* oedd teitl ei hunangofiant gyhoeddwyd gwta flwyddyn a hanner wedyn, yn Ionawr 1985. Rydw i wedi meddwl llawer tybed a oedd syniadau ar gyfer ei gyfrol wedi dechrau troi yn ei feddwl bryd hynny? Pwy a ŵyr! Ar ôl yr anerchiad fe'i hebryngwyd gan swyddogion yr Eisteddfod i gael paned, ac es innau i grwydro'r maes. Ymhen tipyn, rhag ofn ei fod yn chwilio amdanaf – ac ar dân i gychwyn oddi yno – es i chwilio amdano, neu ei 'achub efallai', chwedl yntau wedyn.

Pan ddeuthum o hyd iddo, nid oedd awgrym ei fod yn barod i gychwyn, oherwydd amneidiodd rhywun arno gan ddweud, 'Mae'n rhaid i chi, ar ôl araith ysgubol fel honna draddodwyd gennych y pnawn 'ma, fynd i gael eich cyfweld gan Gwilym Owen rŵan.' Ar ôl dod o hyd i'r stiwdio ar y maes, eisteddodd y ddau gyferbyn â'i gilydd yn rhyw fân sgwrsio wrth baratoi at y cyfweliad go iawn. Cyn pen dim dyma ferch ifanc, ddeniadol iawn, o'r adran golur ato a cheisio cribo'i wallt a phowdro'i drwyn! Cafodd honno ei hel i ffwrdd hefo rhyw ebychiad diseremoni, a fedrwn i ddim peidio rowlio chwerthin wrth weld yr olygfa. Dyn di-ffws oedd R.S. ond dyn ffiws hefyd! A'r cyfweliad trosodd, yn lle mynd o amgylch y maes fel yr oeddwn i wedi rhyw ddisgwyl, dyma fo'n dweud, neu'n rhoi gorchymyn, yn hytrach, fel y byddai o os oedd y ffiws wedi ei chyffwrdd, 'Rŵan rydym am fynd i wylio adar yn Llyn Alaw.' I ffwrdd â ni, ac R.S. yn sbarduno'r Polo gwyn, fel y gallai ar adegau, fel tasa 'na ddim fory ar gael. Cyrraedd yno cyn i mi sylweddoli, ac aros yno'n hir yn gwylio cyn cychwyn am adref a chael tamaid o swper ar y ffordd. Gallech dyngu weithiau mai adar oedd ei fywyd, ac roedd am ddangos cynifer ag y medrai ohonynt i mi yn ystod yr hwyr heulog hwnnw.

Yn niwedd 1987 a dechrau 1988, oherwydd bod iechyd mam yn dirywio, roeddwn yn teithio'n ôl ac ymlaen i Ysbyty Gwynedd yn aml iawn. 'Pa bryd rydych yn mynd i weld eich mam eto?' holodd R.S. un diwrnod. 'Nos fory,' meddwn. 'Iawn. Dewch i fy nôl ar ôl yr ysgol, dof hefo chi yn gwmpeini.' Nid gofyn a oeddwn eisiau cwmpeini wnaeth o, ond dweud ei fod yn dod gyda mi. Roedd cymdogion a ffrindiau wedi bod yn ffeind iawn yn cynnig, ond roedd rhywbeth yn wahanol yn rhywun oedd yn dweud hynny. Hen noson annifyr iawn o ran tywydd oedd y noson honno, yn wynt, glaw a niwl. Mae'n bur debyg mai oherwydd blinder yr holl deithio yn ôl ac ymlaen o Lŷn i Fangor, a hynny ar ben diwrnod gwaith, y cawn fy hun yng ngwres y car fel rhywun yn teithio mewn breuddwyd. Cofiaf feddwl ar y ffordd yno, ai pen lôn Trefor, ai troad Pen-y-groes, oeddem newydd ei basio? Yr hyn sy'n arswydus, o edrych yn ôl, yw mai fi oedd yn gyrru! Roedd cwmpeini difyr R.S. a'i sgwrsio di-baid yn lliniaru straen y teithio ac roeddem wedi cyrraedd Bangor, ac yna 'nôl i'r Rhiw, heb i mi sylwi. Yn ogystal â'r gymwynas o'i gwmnïaeth, amlygodd ei garedigrwydd ymhellach pan oedd yn mynd allan o'r cerbyd ger Sarn Rhiw. 'Rhywbeth tuag at y petrol,' meddai. Er i mi geisio'i wrthod, a hyd yn oed wthio'r arian yn ôl i'w law, doedd dim yn tycio; roedd yn ei roi yn ôl ar silff y dashfwrdd. Nid unwaith yn unig y gwnaeth hynny chwaith. Beth fedrwn ei wneud ond diolch iddo o waelod calon? Oedd, roedd iddo'i 'styfnigrwydd! Felly mae gwir gymwynaswyr yn ymddwyn. Fe ânt y filltir ychwanegol, a dyna grefydd ymarferol R.S. yn cael ei hamlygu.

Ar ôl i mi briodi a symud i Langernyw galwai heibio o dro i dro. Unwaith roedd Enlli'r ferch wrth y bwrdd bwyd yn eistedd yn ei chadair uchel a dyma fi'n gofyn wrth geisio cael y fechan i sylwi ar yr adar y tu allan i'r ffenest, 'Lle mae'r titw? Ti'n ei weld o?' Mae'n rhaid ei bod hi, er mor ifanc oedd hi, yn deall digon i wybod at beth y cyfeiriwn, oherwydd edrychodd yn syth allan drwy'r ffenest arnynt wrthi'n bwyta cnau. Roedd R.S. wedi dotio!

Mae gen i sawl llun ohono â'r plant yn ei gôl. Roedd yn annwyl iawn efo nhw. Yn anffodus, does gen i ddim llun ohono efo fi gan mai fi oedd tu ôl i'r lens bob tro!

Ychydig cyn iddo ein gadael galwodd Enlli a minnau i'w weld ym Mhentrefelin. Roedd mor siriol ag erioed, er ei bod hi'n amlwg bod ei iechyd yn dirywio. Er ei fod yn ei chael hi'n anodd ar ambell ysbaid yn ystod y cyfarfyddiad byr hwnnw, mynnai sôn am yr hwyl gawsom ni a'r llefydd a dramwyon ni'n eiddgar gynt ar drywydd yr adar. Cyn i ni fynd, llofnododd fy nghopi o'i lyfr am Ynys Enlli, yr un a gynhyrchodd ar y cyd efo Peter Hope Jones, *Between Sea and Sky*. Dyna'r tro olaf.

Diolch am gael ei adnabod, un a fu'n ffrind triw a chymydog caredig am flynyddoedd. Mae hel atgofion amdano fel hyn yn tynnu deigryn, ac anodd ydi gorfod derbyn bod 'amser yn dadfeilio popeth'.

Yma o hyd

Alwyn Pritchard

Wn i ddim yn iawn pa bryd y deuthum i adnabod R.S. Roedd o fel petai o wedi bod yn Llŷn erioed, ond mae'n debyg mai yng nghanol yr wythdegau y daethom yn llawiau. Roeddwn yn aelod o Gyngor Dosbarth Dwyfor o Fai 1987, ac yn sicr, o hynny 'mlaen roedd llawer iawn o ymwneud rhyngom. Roedd materion cynllunio, megis datblygu'r harbwr ym Mhwllheli ynghyd â bygythiad enfawr pum pentref haf arfaethedig ym Morfa Bychan, yn mynd â llawer o amser ac egni pawb a oedd yn ymboeni am effaith bwriadau'r hap-fuddsoddwyr estron ar ein cymunedau, ac afraid dweud bod R.S. yng nghanol y brotest. Byddai hefyd yn dod â gwaith gwnïo ac altro dillad at fy ngwraig, Ann, a phleser o'r mwyaf oedd cael ei groesawu ar yr aelwyd yn yr Efailnewydd dros baned o de a bisgedan.

Daeth draw unwaith hefo llond bag o eirin iddi. 'Eirin i chi, Ann.' Gwenodd hithau wrth eu derbyn yn ddiolchgar, ond ciliodd y wên pan ychwanegodd, ar yr un gwynt, 'I Rhian Rhydbengan oeddan nhw i fod – ond doedd hi ddim adref.' Mae'n debyg mai Rhian Rhydbengan Bach oedd y ddynes go iawn gan R.S., ond does yr un wraig yn hoffi gwisgo'r het salaf. Mae'n siŵr iddo weld y siom ar wyneb Ann, oherwydd ymhen ychydig wedyn daeth draw eto hefo wyau pen doman yn ei law. 'I chi mae'r rhain, Ann,' meddai, hefo'r pwyslais ar y 'chi'. Mae'n fwy na thebyg mai wyau Rhydbengan Bach oeddan nhw p'un bynnag, gan mai oddi yno y byddai'n cael ei wyau!

Pan fyddwn i'n mynd draw i Sarn Rhiw, byddai wastad yn cynnig paned o de i mi ond chefais i 'run yno erioed. Fel hyn y byddai'n dweud, 'Be gymrwch chi Alwyn, te ynta sieri? Mae sieri tipyn yn haws, yn tydi.' Felly sieri oedd hi bob tro – doedd yna ddim dewis mewn gwirionedd!

Sieri melys iawn oedd yr un a gawn yng nghwmni R.S. Fûm i erioed yn 158 Westbourne Road, Pen-arth, ond tybed a fyddai dyn wedi cael paned yno – ynteu'r gwin a fyddai'n cario'r dydd? Roedd Saunders Lewis ac R.S., yn eu ffyrdd eu hunain, yn ddau oedd dipyn bach yn wahanol eu hymarweddiad i bawb arall, ac er i R.S. fyw yn y Fro Gymraeg am dalp go helaeth o'i oes, fel arall yr oedd hi yn achos Saunders Lewis. Dywed D. J. Williams amdano, 'Ni fedrai Saunders fyw hanner awr yn y Gymru sy'n annwyl i chwi a minnau. Mewn theori mae Saunders yn werinwr, nid mewn calon ac ysbryd.' Eithr roedd R.S. yn llawn paradocsau hefyd.

Un o'r atgofion ddaw'n aml i'r cof yw'r profiad o fod yn ei barti penblwydd yn bedwar ugain oed, neu a bod yn fanwl gywir, y profiad o'i drefnu. Daeth acw ar ei hald un noson ddechrau 1993. Roeddwn yn gwybod yn iawn ei fod ar drothwy'r pedwar ugain ond heb fod yn siŵr o'r union ddyddiad. Doedd o mo'r hawsa i fynd i'w gcubal, ond mcntrais fwrw ati i'w holi.

'Pryd ma'ch pen-blwydd chi, R.S?'

Yn rhyfedd, atebodd ar ei union, 'Ar y nawfed ar hugain o Fawrth.'

'Ydach chi'n bedwar ugain 'leni, d'wch?'

'Ydw,' meddai'n ddigon swta.

'Duwcs, oes 'na rywun am drefnu parti i chi?'

Mae'n debyg ei fod yn dechrau colli ci amynedd â'r holi, a swniai'n sarrug wrth bwysleisio'i ymateb, 'Nac oes.'

'Fyddai hi'n syniad i mi drefnu un i chi?'

Tawelwch am funud go lew, ac yna, 'O'r gorau.'

Doedd fawr o frwdfrydedd i'w weld ynglŷn â'r parti. A dweud y gwir, roeddwn i'n difaru ron' bach fy mod wedi crybwyll y ffasiwn syniad. Sut bynnag, roedd hi'n rhy hwyr; roeddwn wedi cynnig trefnu, ac roedd yntau wedi derbyn.

'Pwy gaiff wahoddiad i'r parti?' gofynnodd, ar ôl ysbaid arall o dawelwch.

'Pawb o'ch ffrindia gora, debyg,' meddwn inna, 'chi pia'r deud.'

Dyma benderfynu yn y diwedd ei fod yn mynd adra a dychwelyd ymhen pythefnos i dair wythnos wedi tynnu rhestr o'i ffrindiau a'u rhifau ffôn, ac iddo enwi ei ddewis leoliad ar gyfer y dathliad hefyd, er mwyn i mi gysylltu â'r gwahoddedigion a threfnu'r noson.

Nid felly y bu – wel, nid yn hollol – achos roedd R.S. yn ei ôl acw ymhcn deuddydd, fel hogyn wedi gwirioni a'i restr yn gyflawn. 'Plas yr Eifl, Trefor' yn ei ysgrifen bras ar ben y papur, ac yn dilyn, restr o'i ffrindiau, criw bychan na fyddai'n golygu dringo mynydd ar fy rhan wrth drefnu! Darllenais y rhestr a sylwi ei fod wedi ysgrifennu ar y gwaelod, 'Ac un arall'.

Er holi a stilio, doedd dim yn tycio. Nid oedd am ddatgan y diwrnod hwnnw pwy oedd yr un arall. 'Mi fydda i fy hun yn cysylltu â'r un arall 'ma,' meddai, ac i ffwrdd â fo! Yn wir, noson y parti, chwe wythnos i ddeufis yn ddiweddarach, y cawsom weld yr un arall 'ma am y tro cyntaf.

Daeth y gath allan o'r cwd cyn y noson, parthed rhyw yr un arall. Roedd ar frys pan alwodd acw un diwrnod, ar ei ffordd i Westy'r Goedlan, Edern, i gyfarfod hen ffrind.

Ofnaf fy mod wedi ymateb braidd yn fusneslyd, er y gwyddwn yn iawn na thalai peth felly, drwy ofyn, 'O. Pwy ydi o?' Gwasgodd ei atebiad yn llythrennol drwy'i ddannedd. 'Dynes ydi hi.'

Wedi clywed cymaint â hynny, roedd yn rhaid mentro holi rhagor. 'Hefo'i gŵr ma' hi?' Roedd ei ateb yn sobri dyn. 'Nage. Mae o mewn cartref henoed, mewn gwth o oedran, ond (gan ysgwyd ei ben) mae o'n cau'n glir â marw.' Erbyn hyn, wrth gwrs, roedd R.S. yn ŵr gweddw, wedi hen ymddeol o fod yn ficer plwy.

Heb amheuaeth, roedd o'n genedlaetholwr pybyr, ei gynhysgaeth a'i waddol i'w genedl yn sefyll ochr yn ochr â gwaddol cewri'r oesoedd. Fe wŷr y cyfarwydd iddo ddioddef llawer oherwydd ei safiad unplyg a gonestrwydd ei genedlaetholdeb. Dioddefodd lach gwleidyddion gwamal pob plaid ac ambell un a alwai ei hun yn genedlaetholwr hefyd, na feddai'r asgwrn cefn i arddel yr un gonestrwydd ag R.S. Doedd o ddim yn poeni rhyw lawer am ymateb y wasg Seisnig i'w ddatganiadau chwaith. Yng ngoleuni ei ddewrder, roedd o'n arwr i mi, ac mae ar y Cymry angen dybryd am arwyr.

'Pwy sy'n byw yn Abercuawg?' gofynnodd yn ei ddarlith enwog a draddodwyd yn Eisteddfod Genedlaethol Aberteifi yn 1976. 'Nid John a Mary a Wiliam a Margaret ond Gwydion a Lleucu a Rheinallt a Rhiannon bid siŵr. Nid trwy gyfaddawdu y cyrhaeddwn ni Abercuawg, ac y mae dwyieithrwydd yn gyfaddawd.'

Roedd o'n cymeradwyo ymdrechion Cyngor Dosbarth Dwyfor i ddefnyddio'n hiaith fel prif iaith ei weinyddiaeth, oherwydd ofnai nad oedd dyfodol i'r Gymraeg oni bai ei gwneuthur yn brif iaith gweinyddiaeth yr ardaloedd gorllewinol Cymreig. Hurtrwydd iddo oedd bod yr awdurdod lleol a ddisodlodd Gyngor Dwyfor yn 1996, Cyngor Gwynedd, yn anwesu dwyieithrwydd fel delfryd. Rhywbeth i anelu ato yn yr ardaloedd a Seisnigwyd yng Nghymru oedd hwnnw, a hynny dros dro yn unig. Roedd dyrchafu'r Gymraeg yn brif iaith gweinyddiaeth Cymru benbaladr yn hanfodol i'w pharhad. A barnu oddi wrth ffigyrau Cyfrifiad 2011, roedd o yn llygad ei le.

Yn hynny, roedd o'r un anian â Saunders Lewis a'r Athro J. R. Jones. Yn ei lyfr *Prydeindod*, mae J. R. Jones yn cyfeirio at 'allu oesol Lloegr i fesmereiddio'r Cymry.' Er iddo wneud ei farc yn yr iaith Saesneg, ni fesmereiddiwyd R.S. gan Loegr. Yr oedd yn un o'r deallusion na chymerodd ran, a dyfynnu J. R. Jones eto, 'ym mrad y deallusion' oherwydd fe aeth 'tu allan i'r gwersyll a chymryd ei gyfrif – er mwyn ein hetifeddiaeth – gyda chyfeiliorn cad breuddwydwyr tlawd y byd.'

A ddarganfu R.S. yr Abercuawg hwnnw? 'Lle mae yno goed a chaeau a nentydd perloyw dihalog – gyda'r cogau'n dal i ganu yno.'

Mi faswn i'n hoffi meddwl ei fod. Meddai yn *Blwyddyn yn Llŷn* wrth ddisgrifio'i brofiadau allan yn y wlad yn nhueddau Tŷ Mawr, Neigwl, 'Ar

Elliw Llŷn gyda R.S. yn Llanfair-yng-Nghornwy

funudau fel rhain, diflanna pob problem ynghylch diben bywyd, angau a moesoldeb, ac ymglyw dyn â bodolaeth yn unig.'

Braint oedd cael ei adnabod. Roedd rhywun yn cael yr ymdeimlad ei fod ym mhresenoldeb dyn mawr, dyn o bwys, yng nghwmni R.S.

Diwrnod trist oedd hwnnw ar ddiwrnod braf o wanwyn, pan ddaeth acw i ddatgan ei fod yn gadael Llŷn. Daeth Elliw, fy merch, hefo mi i'w weld yn Llanfair-yng-Nghornwy wedi iddo fo a Beti ymgartrefu yno. Roeddem fel teulu'n gyfarwydd iawn â'r chwithdod ar ei ôl, profiad byw i lawer o'i gyfeillion. Na, doedd Llŷn ddim yr un fath hebddo.

Sawl gwaith yr arhosais gerllaw Sarn Rhiw, yr haf hwnnw ar ôl iddo adael Llŷn, a theimlo rhyw lwmp o hiraeth? Lawer gwaith. Hyd yn oed heddiw mi fydda i'n ei chael hi'n anodd mynd heibio heb aros am eiliad. Mae ei ddylanwad yma o hyd, fel ar Gymru hefyd.

Cymysgfa o Atgofion

Gareth Neigwl

P etaech chi'n holi unrhyw un o'i gyfeillion agos, does dim dwywaith na fyddent i gyd yn gytûn fod R.S. yn greadur brwd – yn ddigyfaddawd frwd – dros yr hyn a oedd yn iawn yn ei olwg. Roedd o'n dorchwr llewys hefyd, ac âi gweithgarwch oedd ynghlwm â *Llanw Llŷn*, Cyfeillion Llŷn, a Changen CND Llŷn ac Eifionydd, ac enwi dim ond tri o'r meysydd y bu'n brysur ynglŷn â hwy, â llawer iawn o'i amser. Ychwanegwch ei ymrwymiadau eraill yn ysgrifennydd neu'n llywydd gwahanol bwyllgorau neu fel trysorydd Cronfa Teulu Siôn Aubrey Roberts, a garcharwyd am ddeng mlynedd am ei ran yn ymgyrch losgi Meibion Glyndŵr, ac mae'n anodd dirnad sut yn y byd y darganfu'r amser i ymroi mor egnïol i'w holl weithgarwch, heb sôn am ei ofalaeth eglwysig, ei farddoni, ei ddiddordeb mewn adar a'i ymweld cyson ag aelwydydd ei gyfeillion.

Mae Anet Thomas yn ei gofio fel Cadeirydd diflino Cangen CND Llŷn ac Eifionydd, 'Hyd y cofia i, mi ddechreuais ddod i adnabod R.S. pan oeddwn yn aelod o gell frwdfrydig, ond heb fod yn lluosog, CND Cymru, fyddai'n cyfarfod yn festri Capel Pen-lan, Pwllheli. Roedd R.S. yn gadeirydd digyfaddawd ac yn gefn i'r holl aelodau. Yn ogystal â cheisio codi ymwybyddiaeth o beryglon ynni niwclear yn Llŷn, arferai'r aelodau deithio yma a thraw i gymryd rhan mewn gwrthdystiadau a phrotestiadau. Roedd ei anwyldeb a'i synnwyr digrifwch yn annisgwyl i mi bryd hynny, ond fe ddaethant yn fwyfwy amlwg wrth i mi ddod i'w adnabod yn well.'

Cofia Anet yn iawn hefyd am y cythrwfl fu ar Gyngor Ymddiriedolaeth Enlli, yn nyddiau cynnar y sefydliad hwnnw. Cododd R.S. mewn pwyllgor a thorri pob cysylltiad â'r Ymddiriedolaeth ac â'r ynys yn y fan a'r lle, pan benderfynwyd derbyn cymhorthdal oedd yn dod yn anuniongyrchol oddi wrth Lywodraeth Lloegr, a'r oblygiadau annerbyniol ynghlwm â hynny. Gwnaed llawer o'r R.S. sarrug hwnnw gan y wasg a'r cyfryngau. Wydden nhw ddim am yr un caredig a chynnes a adnabu Anet, 'Galwai o dro i dro, ac aros am gyda'r nos gyfan i sgwrsio, a'r nodwedd amlycaf yn ei gymeriad ar yr ymweliadau hynny fyddai ei feddylgarwch a'i garedigrwydd. Lawer gwaith y daeth i'r drws ag anrheg yn ei law, megis

Pwyllgor Ymgyrch. 7.xii.85
25 Ion.
Molesworth 10-6 Undeb
y myfyrwyr - Gwaith NVDA
Molesworth Chwef. 6. Gwarchae
Rali, 15 - Aberystwyth.
Chwef 22 — Codi arian.
wythnos Cymru Di-Niwc

Eisteddfod Urdd. Bethesda
Mai. YLN yn dangos
ei hun.

Gwrenham. 14 Ragfyr
merched yn heuna
i amgylchynu'r Ffens.

Pwyllgor Ymgyrch Meirionydd
'n barod i ymuno â ni.

ffigys o'i ardd wedi eu gosod yn dwt ar wely o ddail. Roedd y cyflwyniad yr un mor bwysig pan gafodd ffrind a minnau de yn Sarn Rhiw, wedi cerdded yno ar hyd Porth Neigwl un prynhawn, a'r bwrdd wedi ei osod yn ofalus fel bod popeth yn edrych ar ei orau. Yn aml byddai'r sgwrs yn troi at adar – adar y byddai wedi eu gweld neu eu clywed o gwmpas, neu ar deithiau pellach. Sylweddolodd yn fuan mor arwynebol oedd fy ngwybodaeth i yn y maes, ac mi geisiodd fy ngoleuo. Cofiaf dreulio darn o gyda'r nos braf un gwanwyn yn ei gwmni, yn eistedd wrth wrych ar odre'r Rhiw, yn gwrando ar gân aderyn go brin yn Llŷn roedd o wedi ei glywed ynghynt yn ystod y dydd. Ar ôl hir ymaros mi ganodd y gwddf gwyn lleiaf. Chofia i mo'i gân o bellach, ond mi gofiaf yn iawn am yr orig dawel honno wrth droed Y Rhiw.'

Ffordd y Cadeirydd o sicrhau bod gweithgareddau'r gangen yn cael eu cynnal drwy'r Gymraeg, a'r Gymraeg yn unig, oedd peidio a chyfieithu pe byddai yna Saeson yn dewis mynychu. Fe ddaeth yna rai o bryd i'w gilydd, ond wnaeth yr un ohonyn nhw feiddio mentro'r digywilydd-dra nodweddiadol o lawer o'r Saeson drwy ynganu'r un gair gorchmynnol hwnnw, 'English', na hyd yn oed y ddeuair ychydig mwy rhesymol, 'English, please'. Serch hynny, fe gododd dadl, neu yn hytrach drafodaeth boeth unwaith, rhwng R.S. ac un aelod oedd o'r farn mai'r achos a'r ymgyrch oedd yn bwysig, yn hytrach na'r iaith a ddefnyddid wrth ymgyrchu ac a siaredid yng nghyfarfodydd y gangen. Ond roedd R.S. yn dadlau ei achos ag argyhoeddiad, a doedd ond un canlyniad posib. Naill ai bod y Saeson yn derbyn bod yn rhaid dysgu'r Gymraeg wrth ymuno â'r gangen, neu ddiflannu – i beidio â dychwelyd! 'Nid chwarae hefo'r gath yw busnes y llygoden', meddai'n gynnil wrth egluro'i safbwynt.

Mae'n werth mynd trwy lyfrau nodiadau R.S. dros y cyfnod y bu'n Gadeirydd. Mae dau ohonynt wedi eu cadw'n ofalus gan Morwen Brosschot, un o'r aelodau. Mae'r ddau yn llawn cofnodion am ddyddiadau a lleoliadau gwahanol gyfarfodydd y bu'n eu mynychu. Mae'r lleoliadau hynny'n datgelu cymaint yr oedd wedi teithio dros wledydd Prydain yn cefnogi'r ymgyrch. Yma a thraw yn y llyfrau mae yna ddarnau o gerddi a phytiau o ryddiaith yn ei lawysgrifen fras, llyfrau y mae Morwen yn eu hystyried yn drysorau.

Cofia un daith ddifyr yng nghwmni ei chyd-aelodau yn CND Llŷn ac Eifionydd yn iawn. Roedd rali wedi ei threfnu yng Nghaerdydd yn 1985, ac roedd hi'n digwydd bod yn teithio yno yng ngherbyd Heulwen Brunelli, yng nghwmni Wil Sam ac R.S. 'Dyna'r rysáit orau erioed y dois i ar ei thraws am hwyl a chwerthin', meddai, 'nes bod ochrau rhywun yn brifo – R.S. a Wil Sam hefo'i gilydd! Wil Sam yn tynnu arno ac yn mynd trwy'i bethau ac R.S., mor gynnil ond hynod ddigri ei drawiadau yntau.' Roedd R.S. wedi rhoi ei fryd ar bryd o sglodion i swper, ond yng nghanol y tynnu coes a'r rhialtwch yn y car, aed heibio i bob siop *chips* ar yr A470 rhwng y brifddinas a Dinas Mawddwy, heb sylweddoli hynny. Yn nhafarn y Cross Foxes, gerllaw Dolgellau, y cafodd y bardd ei ddymuniad yn y diwedd.

Byddai llawer o dynnu coes rhwng y dramodydd a'r bardd hefyd, yn ôl pob sôn, pan fyddai'r ddau yng ngofal stondin a ymddangosai'n achlysurol, yn gwerthu cynnyrch cartref ar y Maes ym Mhwllheli ar ddiwrnod marchnad – stondin codi arian ac ymwybyddiaeth, boed hynny at CND,

Wil Sam

apêl leol Eisteddfod Genedlaethol yr Urdd 1982, neu achosion teilwng eraill. Afraid dweud nad oedd cyrff a esgeulusai'r Gymraeg yn cael eu hystyried yn gymwys i dderbyn o'r elw. Roedd y ddau'n argyhoeddedig fod yn rhaid i'r Gymraeg fod yn rhan annatod, naturiol a gweladwy o fywyd beunyddiol, os oes parhad i fod iddi. Heb amheuaeth, byddai R.S. yn ffrom iawn â'r ffwlbri, derbyniol gan ein Senedd a Chyngor Gwynedd, mai gwlad ddwyieithog yw Cymru. Byddai'r felan wedi cydio ynddo hefyd pe gwyddai fod llawer gormod o arian cyhoeddus yn cael ei roi mewn cymorthdaliadau i sefydliadau sy'n esgus hybu dwyieithrwydd, a'r dwyieithrwydd hwnnw naill ai'n hynod brin, ncu, oherwydd cyfieithu sobor o sâl, yn ddim namyn sarhad ar y Gymraeg. 'Cyfaddawd, a chyfaddawd sy'n mynd i olygu tranc yr iaith yw dwyieithrwydd', meddai.

Does 'na ddim amheuaeth chwaith nad oedd y tueddiad i lastwreiddio'r Gymraeg ar y cyfryngau, a hyd yn oed awgrymu y dylid ystyried hynny fel rhywbeth derbyniol wrth geisio denu gwrandawyr a gwylwyr, yn ei gythruddo. Roedd o'n hollol ddiamwys ar y pwnc, dros ugain mlynedd yn ôl.

'Meddyliwch petai'r Saesneg yn sathredig ar raglenni teledu a radio yn Lloegr,' meddai, 'fyddai neb o arweinwyr y genedl honno'n derbyn hynny fel rhywbeth i'w gymeradwyo ac, wrth gwrs, fyddai hynny fyth yn digwydd chwaith. Mae'r Saeson, a chenhedloedd eraill o ran hynny, yn gallach. Beth sydd yn bod arnom ni'r Cymry? Heb warchod safon iaith, does yna ddim dyfodol iddi'. Ofnai, pe byddai'r cyfryngau Cymraeg yn symud i'r cyfeiriad hwnnw, mai dim ond mater o amser fyddai hi, ac na fyddai modd cyfiawnhau'r angen am wasanaeth teledu a radio Cymraeg. Er mai ei bardduo a gafodd am ddweud pethau felly, mae'n dod yn amlycach erbyn hyn, ychydig dros ddegawd ers ei farwolaeth, ei fod o'n crafu'n agos iawn at yr asgwrn.

Ar yr wyneb, nid oedd ganddo'r diddordeb lleiaf mewn pethau a ystyriai'n ynfyd megis tân gwyllt a'r gyfeddach sy'n rhan o'r noson honno yn nechrau Tachwedd. Eithr mae Gwydion ei fab wedi sôn am yr R.S. hynod ofalus fyddai'n cadw'r tân gwyllt mewn hen dun Oxo pan fyddai yna ddathlu'r Gei Ffôcs yn nyddiau ei blentyndod ym Manafon. Nid oedd R.S. yr henwr uwchlaw pleserau'r Gei chwaith. Pan oedd meibion Menna Jones, a'r diweddar Vaughan Jones, Tryfan, Y Rhiw, yn grymffastia direidus, prynai R.S. lond blwch o dân gwyllt yn anrheg i'r hogia ac ymuno hefo nhw'n mwynhau cyffro'r sbarclars, y bangars a'r rocedi cystal â neb.

Roedd hi'n wybyddus fod ganddo ddiddordeb mewn chwaraeon, ac wedi bod yn gryn athletwr ei hun yn ifanc, ond ychydig a wyddai am ei sêl dros ein tîm rygbi cenedlaethol. Byddai'n anfodlon iawn os collai un o'r gemau ym Mhencampwriaeth y Pum Gwlad, fel ag yr oedd hi'r adeg honno, oherwydd ymfalchïai R.S., fel pob Cymro gwerth ei halen, yn y llwyddiannau a ddyrchafai statws ei wlad. Gan nad oedd yna deledu yn Sarn Rhiw, ar aelwyd Tryfan y byddai'n gwylio'r crysau cochion fel rheol, ond byddai wedi hen wneud trefniadau i'w gwylio ar aelwyd rhywun arall, pe bai teulu Tryfan oddi cartref. Mae'n debyg mai cefnogwr tywydd teg oedd o mewn gwirionedd, oherwydd pallodd y diddordeb yn y gwylio wrth i gyfnod y perfformiadau disglair gilio.

Mae llawer cyfeiriad eisoes wedi ei wneud at y paradocsau a berthynai iddo, eithr mae eironi mawr ei fywyd ynghlwm â'i ddyhead am gael byw mewn ardal naturiol Gymraeg. Byw a bod yng nghanol y diwylliant a'r iaith, heb deimlo'r bygythiad parhaus iddynt a deimlodd ym Manafon ac yna yn Eglwys-fach. Gwireddu'i ddyhead a'i freuddwyd oedd y symudiad i Aberdaron iddo. Yr eironi yw fod y bygythiad eisoes wedi cyrraedd yno o'i flaen. Ys dywedodd y diweddar Gruffudd Parry, Llywydd Cyfeillion Llŷn, amdano, 'Ar ôl dod i Lŷn y gwelodd R.S. nad oedd y sylwedd cystal â'r breuddwyd. Yr oedd clywed llawer gormod o eiriau Saesneg a chystrawennau benthyg o Loegr ac America, a'r rheiny'n amharu ar 'y glendid a fu', yn llygru'r ddelfryd. Yr ateb oedd arfogi i amddiffyn a chau'r bwlch. A dyna fan cychwyn Cyfeillion Llŷn. Yng ngardd Sarn Rhiw y gwnaed y trefniadau cyntaf, pan roes wahoddiad i nifer o'i gyfeillion i ffurfio cnewyllyn i warchod yr amgylchedd yn Llŷn. Ar y dechrau, cynhelid y pwyllgorau yng nghartrefi'r aelodau efo R.S. yn cymryd baich yr ysgrifenyddiaeth. Nid gwarchodwr yn unig ydoedd, ond ymosodwr oedd am unioni cam ac am 'ddial plaid y gwan'. Ond gyda'i hynawsedd a'i welediad treiddgar derbyniodd mai gwarchodaeth ymosodol oedd prif faes y Cyfeillion.'

Mae Siân, merch Gruffudd Parry, yn cofio'n iawn am R.S. yn galw yn ei chartref ym Mhencraig Fawr ychydig cyn sefydlu'r Cyfeillion.

'Adra ar fy mhen fy hun yn peintio wal y cwt yr oeddwn i, pan gefais fy nychryn wrth sylweddoli bod yna rhywun yn sefyll y tu ôl i mi. Dyma'r dyn dieithr yn cyflwyno'i hun yn swil fel R. S. Thomas, Person Aberdaron, cyn holi a oedd Gruffudd Parry adra. Eglurodd ei fod wedi dysgu siarad Cymraeg, a'i fod yn awyddus i ymarfer yr iaith hefo fy nhad. Bûm yn pendroni dipyn wedi iddo fynd oherwydd roedd ei Gymraeg o'n llawer gwell na f'un i.

'Pan ddaeth 'nhad adra roedd yn awyddus iawn i wybod be yn union oedd pwrpas ymweliad R.S. gan ei fod o'n medru'r Gymraeg yn iawn erbyn hynny! Eglurodd i mi mai'r dyn dieithr oedd y bardd Saesneg

enwog oedd wedi canu am y 'peasant farmer' hwnnw oedd yn 'worrying the carcass of an old song'. Roedd y ddau'n fyfyrwyr ym Mangor yr un pryd, ond doeddan nhw'n gwneud dim efo'i gilydd bryd hynny – fy nhad yn troi efo'r Cymry ac yntau efo'r Saeson.

'Erbyn hyn roedd y myfyriwr o blith y Saeson yn rhugl ei Gymraeg ac wedi deall yr angen am ei gwarchod, a'r ddau fyfyriwr o wahanol begynau gynt yn rhannu'r un gwerthoedd. Roeddan nhw hefyd yn adnabod yr un bygythiadau ac yn ofni'r un peryglon, a daeth ymweliadau R.S. â'r tŷ acw yn bethau cyson a difyr dros ben. Buan iawn y deuthum i adnabod ei natur dyner a ffraeth, oedd yn wahanol iawn i'r olwg sarrug fyddai arno weithiau. Cefais gip ar ddyn ysbrydol a chanddo werthoedd gwahanol iawn i rai'r oes yr oedd yn byw ynddi. Roedd ei lygaid treiddgar fel petaent yn edrych o'r tu allan ar y gymuned a'r gymdeithas. Daeth y ddau'n gyfeillion agos ac ymhen dim roedd eu henwau'n gyfystyr â Chyfeillion Llŷn.

'Er bod y ddau'n gweld yr un bygythiadau, edrychent arnynt o gyfeiriadau gwahanol. Roedd fy nhad yn adnabod ein natur a'n hanes ac yn gyfarwydd â holl gymhlethdodau ein cenedl wrth i'n hiaith gilio. Roedd o'n ymfalchïo yn ein gwydnwch a'n hewyllys i barhau, ond byddai hefyd yn digalonni oherwydd ein difaterwch a'n taeogrwydd. Roedd yn hen gyfarwydd ag ymdrech ar ôl ymdrech, ymgyrch ar ôl ymgyrch yn darfod mewn siomedigaethau. Gwyddai'n iawn am ddeuoliaeth ryfedd ein pobl – hen hîl â'i hanes, ei barddoniaeth a'i chyfreithiau yn dirwyn yn ôl ganrifoedd ar un llaw, oedd mor ewyllysgar i dderbyn beirniadaeth a sarhad y Saeson, eu hedmygu, eu hefelychu a siarad eu hiaith ar y llaw arall. Eithr gallai gydymdeimlo â'r Cymry druan, a'r cof am eu hanes wedi pylu dros saith ganrif o goncwest. Troi'r Cymry yn Saeson fu bwriad awdurdodau Lloegr drwy gydol y cyfnod hwnnw. Yn wyneb profiadau felly, trysorai ambell fuddugoliaeth yn fawr.

'Roedd R.S., ar y llaw arall, wedi ei fagu heb y Gymraeg, yn amddifad o hanes ein cenedl. Pan ddysgodd Gymraeg a dod i sylweddoli maint ei drychineb bersonol, roedd o fel dyn ar dân am ddangos ei ddannedd a gweithredu. Roedd am i Gymru ddeffro ar fyrder, ond doedd hi ddim yn deffro, ac yn ei siomedigaeth roedd o'n drwm ei lach, ac yn ddiamynedd efo'r holl Gymry sydd mor ddifater ynghylch eu parhad eu hunain. Fesul tipyn y daeth R.S. i adnabod ein gwendidau, ond doedd ganddo fawr o gydymdeimlad tuag at Gymry di-hid o'u tras, yn enwedig y rhai a alwai'n 'Saes Gymry'. Roedd yn llym ei feirniadaeth ohonynt.

'Cyfeiriai R.S. o hyd at farn Saunders Lewis am ddwyieithrwydd – ei fod yn gweld yn hynny 'farwolacth barchus ac esmwyth, ac angladd dialar i'r Gymraeg'. Ymresymai mai un o'n gwendidau mwyaf yw ein bod yn genedl ddwyieithog sy'n llawer rhy barod i droi i'r Saesneg. Roedd o'n ymwybodol iawn o hynny fel dysgwr, a gwyddai bod dwyieithrwydd yn gallu bod yn faen tramgwydd i ddysgwr hefyd, oherwydd ei fod yn gyfarwydd â'r profiad o ymdrechu i geisio siarad ac ymarfer yr iaith â Chymry ar y stryd neu yn y siop, a rheini'n troi i'r Saesneg hefo fo, gan feddwl eu bod yn cstyn cymorth iddo! Datganodd lawer gwaith mai'r oll sydd angen i ni wneud i sicrhau parhad yr iaith yw ei siarad hi, a siarad dim byd ond hi. Cofiaf fel y byddai'n gwenu wrth ddweud ei fod wedi dechrau ymateb i ymholiadau ymwelwyr o Saeson fyddai'n holi'r ffordd, drwy ddweud, 'Dwi ddim yn siarad Saesneg', a cherdded i ffwrdd. Bu trafodaeth llawer mwy difrifol rhwng nhad ag yntau pan oedd R.S. yn ystyried a ddylai fynd gam ymhellach a gwrthod derbyn gwahoddiadau i ddarllen ei farddoniaeth. Gwrando oedd dyletswydd nhad ar achlysuron felly a pharchu a chefnogi penderfyniad R.S. Daeth yntau i'r casgliad y dylai gadw at yr addewidion a oedd eisoes wedi eu trefnu a gwneud ei safiad wedyn. Mae'r stori amdano yn un o golegau Rhydychen, yn datgan nad oedd am siarad Saesneg yn stori gyfarwydd erbyn hyn. Roedd y ffaith bod bardd Saesneg mwyaf ei oes yn gwadu iaith fyd eang ei farddoniaeth ei hun, a hynny er mwyn y Gymraeg, y tu hwnt i ddealltwriaeth yr academyddion a'r gwybodusion yno!

'Pan dderbyniodd Cyfeillion Llŷn gais gan y Dr. Carl Clowes am gefnogaeth i sefydlu cwmni adfywio cymunedol Antur Llŷn, fe'i gwahoddwyd i Bencraig i gyfarfod R.S. a fy nhad. Eglurai'r Dr. Clowes fel y byddai sefydlu cwmni o'r fath yn agor drysau i geisio am gymorthdaliadau'r llywodraeth – y llywodraeth yn Llundain bryd hynny.

Byddai cais llwyddiannus yn gaffaeliad fyddai'n hwyluso'r ffordd i greu swyddi allai gadw'r ieuenctid yma yn eu bröydd, ac yn sgil hynny, hybu economi Llŷn. Bu cryn drafod rhwng fy nhad a Dr. Clowes, ond distaw iawn oedd R.S., yn gwrando'n astud. Torrodd ar ei fudandod yn y diwedd drwy ddatgan na fyddai'n bersonol yn cefnogi, ac nad oedd yn fodlon i'r Cyfeillion gefnogi chwaith. Eglurodd y rheswm am ei benderfyniad gyda'i bendantrwydd arferol. 'Os dach chi'n derbyn arian Llywodraeth Loegr, da'chi'n daeog yn syth', meddai. Cytuno i roi ei gefnogaeth bersonol wnaeth fy nhad a bu'n mynychu'r cyfarfodydd am fisoedd nes y daeth adra un noson yn ddigon digalon a dweud na fyddai'n mynd i'r cyfarfodydd wedyn am nad oedd sôn am y Gymraeg ynddynt erbyn hynny. R.S. oedd yn iawn.'

Prif nodwedd R.S. fel dyn oedd ei onestrwydd plaen. Mynnai lefaru'r gwir, er y gwyddai'n iawn fod y gwir hwnnw'n groes i'r hyn yr oedd y mwyafrif yn dymuno ei glywed. Do, ar draul hynny, fe brofodd yntau wynebu'r hen wirionedd, 'Os dywedi'r gwir didwyll, dywed byd nad da dy bwyll', ond ddaru o erioed fod yn llwfr o'i lefaru, a cheisio osgoi'r cyfrifoldeb. 'Pan fydd dyn yn wynebu iaith fwyafrifol', meddai, 'mae unrhyw ildio yn golygu bod yr iaith fwyafrifol yn cael ei ffordd. Gadewch i ni benderfynu bod y genedl a gynhyrchodd Gyfreithiau Hywel Dda, y Mabinogi, Dafydd ap Gwilym a seiniau prydferth y gynghanedd, gyda'i henwau lleoedd ac enwau personol, yn ogystal â barddoniaeth cymaint o enwau ei ffermydd a'i chartrefi, megis Hafod y Gân, Crud yr Awel, Hendre Gwenllian, Pentre'r Piod ac yn y blaen, prydferthwch ei merched gyda'r enwau hardd, megis Ceridwen ac Angharad – na fydd meddwl am y genedl hon, ei bod wedi ei thynghedu i farw o'r tir.'

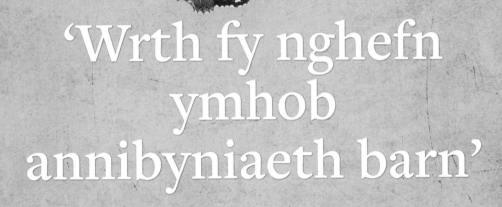

'Wrth fy nghefn ymhob annibyniaeth barn'

Owain Williams
(Now Gwynus)

Mae'n sicr bod R.S., oherwydd ei genedlaetholdeb unplyg a'i ddatganiadau diflewyn-ar-dafod, fel manna i'r wasg boblogaidd Saesneg. Byddai newyddiadurwyr honno, rhai â chymhellion digon gwamal yn aml, yn ceisio'i ddifrïo neu ei wneud yn gocyn hitio a'i bortreadu fel rhyw ddyn od neu ynfytyn y byddai'n rhesymol casglu bod nam ar ei feddwl. Un uwchlaw rhyw ffwlbri felly oedd yr R.S. a adwaenwn i. Nid heb lawer o bwyso a mesur, a holi ei hun hefyd, y mynegai ei safbwynt. Dôi hynny'n amlwg yn yr holl sgwrsio a'r ymwneud a fu rhyngom, a phrofais ei farn gadarn a'i onestrwydd llachar yn gefn i mi bob amser.

Fe wyddai R.S. yn iawn nad syniad hollol newydd oedd sefydlu'r Cyfamodwyr; roedd wedi darllen digon am hanes cenedlaetholdeb Cymru i wybod bod Emrys ap Iwan wedi anwesu hynny ychydig dros ganrif ynghynt. Felly, pan euthum i, Neil ap Siencyn ac eraill ati i sefydlu Cymdeithas Cyfamod y Cymry Rhydd ym 1989, daeth R.S. yn un o'r aelodau cyntaf ac yn gefnogwr brwd. Tyfodd y Cyfamodwyr allan o anfodlonrwydd â'r hyn a welid fel diffyg ymateb Plaid Cymru i nifer o sefyllfaoedd oedd yn tanseilio dyfodol ein cenedl. Yr elfen amlycaf oedd grym enfawr y mewnlifiad, problem oedd, ac sydd, yn dwysáu o hyd, gwaetha'r modd, ac yn prysur ddinistrio'n hunaniaeth. Roedd yna hefyd bryder ymysg carfan ohonom ar y pryd ynglŷn â'r diffyg ymrwymiad yn y Blaid tuag at y ddelfryd o sicrhau annibyniaeth lawn i'n cenedl. Heb amheuaeth, roedd hi'n amser eithriadol o argyfyngus, ac mae amser eithriadol felly yn gofyn am ymateb eithriadol hefyd.

Roedd ymgyrch losgi Meibion Glyndŵr wedi cychwyn bron ddegawd ynghynt ym 1979, a doedd yna 'run enaid byw, er holl egnïon yr heddlu a'r asiantaethau cudd, wedi ei ddwyn i gyfrif am y llosgi. Heb amheuaeth, llyffethair mwya'r heddlu ar y pryd oedd bod trwch poblogaeth Cymru yn tawel gefnogi'r ymgyrch. Doedd hynny ddim i'w ryfeddu, a chymaint o ieuenctid ein broydd wedi eu dal ym magl methu fforddio tŷ, sefydlu cartref a mynd ati i fagu teulu, oherwydd bod prisiau tai y tu hwnt i'w cyrraedd.

Er gwaetha'r ffaith bod R.S. wedi ei ddisgrifio gan y wasg Saesneg yn 'anghenfil Cymru' (the ogre of Wales), roedd o'n greadur gonest iawn, a fedrai o ddim anwybyddu'r sefyllfa na chuddio chwaith ei fod o'n gwirioneddol boeni am y sefyllfa argyfyngus. Methai ddeall sut y gallem ni, Gymry, adael i drachwant y farchnad dai olygu bod yna deuluoedd ifainc – yr allwedd i ddyfodol ein broydd – yn cael eu hamddifadu o gyfle teg i berchenogi tai Cymru. Welai o ddim math o synnwyr yn y ffaith bod cymaint ohonynt naill ai'n gorfod byw adref hefo'u rhieni, neu mewn carafannau, neu'n gorfod gwneud trefniadau dros dro, megis rhentu tŷ oedd ar gael dros y gaeaf ac yn gorfod symud allan ymhen ychydig fisoedd oherwydd bod ei berchennog am gael defnydd ohono yn ystod yr haf.

Rhywbeth i'w ddisgwyl oedd bod y wasg a'r cyfryngau Seisnig wedi mynd i lafoeri uwchben penawdau ac eitemau newyddion pan wnaeth R.S. ei ddatganiad yn mynegi cefnogaeth a chydymdeimlad â'r llosgwyr. Eithr fe synnech chi gymaint o barch gafodd o am ei onestrwydd; ie, ymysg llawer o Saeson hefyd. Nid cyd-ddigwyddiad yw bod arolwg a gynhaliwyd gan gwmni HTV ar y pryd yn cadarnhau bod 85% o boblogaeth ardal Dwyfor – yn Gymry a Saeson – yn cefnogi'r ymgyrch. Dyma'r adeg y cafodd Dafydd Elis Thomas ei sterics a lluchio'i ddymi allan o'r pram yn ei eiddgarwch i ymosod ar y bardd. Peidied neb ag anghofio chwaith ei ddatganiad ffiaidd a chyfoglyd nad oedd am arddel y gair 'cenedlaetholwr' gan ei fod yn air hiliol! Nid bod datganiadau Dafydd Elis Thomas yn bethau newydd; roedd R.S. wedi llwyddo i gynhyrfu dyfroedd Aelod Seneddol Meirionnydd unwaith neu ddwy cyn hynny. Er gwaethaf y sterics, fe glywyd rhagor nag un llais mewn cylchgronau fel *Barn* a *Planet* oedd yn barod iawn i amddiffyn hawl R.S. i'w safbwynt. Oedd, roedd yna bobl o hyd hefo rhywfaint o asgwrn cefn yng Nghymru'r cyfnod oedd yn teimlo bod angen pellhau tipyn go lew oddi wrth agwedd Dafydd Elis Thomas a diletantiaid eraill.

Os oedd yna rai'n gobeithio y llwyddai Dafydd Elis Thomas i dymheru rhywfaint ar ddatganiadau R.S., roedd y sefyllfa ffiaidd oedd yn llesteirio hawl ein pobl i fyw yn eu broydd, yn eu gwlad eu hunain, yn anghymharus ag unrhyw obaith y byddai hynny'n digwydd. Ffieiddiai R.S. hefyd at y

modd yr âi'r heddlu a'r gwasanaethau cudd ati i geisio gwybodaeth am y llosgwyr. Ymysg penawdau bras y papurau dyddiol ar y pryd sonnir am gynnig tâl o £50,000 am wybodaeth fyddai'n esgor ar achos llys llwyddiannus yn erbyn aelod o'r Meibion, a hyd yn oed awgrymu na fyddai unrhyw aelod fyddai'n achwyn ar ei gyd-aelodau yn wynebu cael ei erlyn.

Yng ngolwg R.S., roedd yr achos yn golygu bod angen troi pob carreg wrth geisio cael y maen i'r wal, ac yn sicr nid oedd bwriad ganddo dawelu. Yn rali'r Cyfamodwyr yn ystod mis Medi 1990, y tu allan i Senedd-dŷ Owain Glyndŵr, Machynlleth, galwodd ar ei gyd-Gymry i barhau â'r frwydr. Gofynnai i'r Cymry na allai weld lygad yn llygad â dulliau Meibion Glyndŵr i ymgymryd â phob dull di-drais posibl i wynebu'r bygythiad mawr Seisnig i'n hunaniaeth. Wnaeth o ddim annog neb i ymosod ar dai haf, na hysio neb i fynd ati i wneud unrhyw beth na fyddai'n barod i'w wneud ei hun, ond fe adroddodd y wasg hefo'i sterics a'i henllibion arferol. Roeddan nhw'n fwriadol yn anwybyddu rhesymeg a thegwch ei ddatganiadau.

'Mae'r mater o sicrhau cartrefi i'r Cymry,' meddai, 'tai haf o'r neilltu, yn achos y mae'n rhaid mynd i'r afael ag o. Mae cymaint o bobl ifainc yng Nghymru na fedrant fforddio eu tŷ cyntaf, heb sôn am dŷ haf fel ail gartref. Sut y mae hi'n bosibl i hofel bedair wal a dwy ffenestr fechan, a godwyd am lai na chanpunt, fod yn werth £45,000? Ond mae'n rhy hawdd rhoi'r bai i gyd ar y Saeson. Mae Cymru yn wlad hynod brydferth, gafodd ragor na'i siâr o ffyliaid gwirion sy'n barod i gael eu goresgyn. Dwi'n caru Cymru'n llawer mwy na'i phobl.' Y tristwch, erbyn hyn, yw bod pris hofel yn nes at gan mil, ac mae'n sefyllfa ni'r Cymry yn un sydd wedi dirywio ymhellach.

Roedd iddo ryw ruddin a dewrder arbennig, neu fyddai o byth wedi medru parhau i frwydro fel y gwnaeth pan oedd holl rym y wasg yn ei erbyn, a dichell gwleidyddion ar y ddwy ochr i Glawdd Offa'n glafoeri am ei waed. Yn wyneb, ac er gwaethaf, profiadau felly, ystyfnigai R.S. i'r frwydr. Mi fydda i'n meddwl llawer amdano yn ei flynyddoedd olaf, ac yntau'n rhy fregus ei iechyd erbyn hynny i barhau â'i ymgyrchu, ac yn gorfod derbyn na allai, bellach, wneud dim rhagor.

Roedd R.S. yn ymwybodol iawn o arwyddocâd Tryweryn i Gymru'r ugeinfed ganrif. Fe'i clywais yn dweud mai dyna'r dylanwad mwyaf arno ef yn bersonol, yn y broses o'i droi yn genedlaetholwr. Nid R.S. yw'r unig un o bell ffordd i wneud gosodiad cyffelyb. Mae'n debyg mai yn ystod cyfnod y frwydr honno y daethom ar draws ein gilydd gynta. Roedd R.S. yn Ficer Eglwys-fach ar y pryd, ac yn ennill cydnabyddiaeth fel un o feirdd disgleiria'r Saesneg, ymhell y tu hwnt i Gymru, ond yn wyneb y ffaith bod pob protest gyfansoddiadol a rhesymol wedi cael ei llwyr anwybyddu gan swyddogion Dinas Lerpwl a llywodraeth Loegr fel ei gilydd, ac nad oedd gan arweinwyr y genedl hon yr un weledigaeth, roedd Cymru ac amddiffyn Cymru yn prysur ddod yn rhinweddau pwysig yn ei fywyd. Ymhen blynyddoedd wedyn, fe'i clywais ar sgwrs yn cystwyo'i hun na fyddai wedi bod yn ddewrach dyn. Meddai: 'Efallai mai hen natur y meidrolyn i osgoi cyfrifoldeb sydd yn siarad ynof ac yn

chwarae ar fy meddwl ar adegau fel hyn. Eithr does yna ddim ffordd o osgoi cyfrifoldeb am eich gwlad mewn gwirionedd, heb golli ein hunan-barch.' Gwyddai R.S. hynny'n iawn, ac nid yn ddifeddwl nac yn ysgafn y siaradai pan wnâi ei ddatganiadau diflewyn-ar-dafod.

Roedd o 'run mor bendant ei farn mewn cyfeiriadau eraill hefyd. Un o'r storïau amdano sy'n tanllinellu'r agwedd hon ar ei gymeriad yw honno a glywais, wedi i'w fab, Gwydion, grybwyll y peth. Roedd R.S., yn arbennig tua diwedd ei yrfa fel person plwyf, wedi dod i'r casgliad nad oedd o'n medru credu yn yr eglwys a wasanaethodd gyhyd. Roedd yn hollol onest, wrth gwrs, wrth drafod ei amheuon, ac fe ddatganodd hynny'n blaen, ar sawl achlysur. Fel y dynesai dydd ei ymddeoliad, roedd o'n dweud wrth y sawl a'i holai ei fod yn edrych 'mlaen at weld y diwrnod hwnnw'n cyrraedd, ond fedrai neb rag-weld ei weithred olaf wrth iddo ymddihatru oddi wrth waith yr eglwys. Un o'r pethau cyntaf wnaeth o wedi mudo o Reithordy Aberdaron i fwthyn Sarn Rhiw oedd gwneud andros o goelcerth i gael gwared ar lawer o'r pethau a oedd wedi hel o'i gwmpas dros y blynyddoedd. Ar y goelcerth honno y llosgodd hefyd ei wenwisg a'i holl lifrai eglwysig dan chwerthin yn braf, gan ymresymu nad oedd modd, hyd yn oed hefo'r ewyllys orau, gwneud lle i bopeth ddaeth o Aberdaron mewn bwthyn bychan fel Sarn.

'Ffarmwrs' ddywed pobl Llŷn am amaethwyr, a phetai rhywun yn dweud rhywbeth am ffarmwrs yn ei glyw, câi hwnnw ei gywiro'n syth hefo rhyw edrychiad sarrug, 'Ffermwyr!' Fe glywais stori am Harri Richards, y baledwr enwog, yn sôn wrth gyflwyno rhyw faled neu'i gilydd, mewn geirfa mor naturiol â'r pridd yn Llŷn, am 'fynd i weini ffarmwrs'. R.S. yn dweud wrth rhywun fel yr oedd o wedi mwynhau gwrando ar Harri'n fawr, ond biti na fyddai o wedi dweud 'ffermwyr'! Yr un fyddai ei safbwynt, meddan nhw, pan alwai hefo Gruffudd a Kit Parry ar aclwyd Pencraig Fawr, Sarn. Pe byddai Kit yn digwydd cyfeirio at 'ffarmwrs' mewn sgwrs, byddai R.S. fel rhyw garreg ateb yn ei chywiro hefo 'ffermwyr' yn ddi-feth. Efallai fod Kit Parry yn cael llawer o gysur yn defnyddio'r gair 'ffarmwrs' yn fwriadol yn ei ŵydd!

Yn groes i'r darlun a greai'r wasg Seisnig ohono, roedd yna resymeg ddidwyll y tu ôl i bendantrwydd meddwl R.S. Nid oherwydd bod y Gymraeg yn uwchraddol neu'n well nag ieithoedd eraill yr ymroes mor ddygn i'w dysgu'n ŵr ifanc, a'r un mor ddygn i'w gwarchod yn henwr.

'Y mae un yn siarad Saesneg, un arall yn siarad Ffrangeg, un arall yn siarad Sbaeneg. Mae'r tri yn wahanol, ond, i gyd-ffynnu, mae'n rhaid i'r tri barchu ei gilydd. Os eir ati i ddifa iaith unrhyw un ohonynt – fel y mae'r Saeson wedi mynd ati'n fwriadol yn y gorffennol i geisio difa iaith y Cymry – yna rydych chi'n difa holl hanfod cenedligrwydd y person hwnnw. Sut y gallwch chi alw'ch hun yn Sais, yn Ffrancwr, yn Sbaenwr neu'n Gymro, oni bai eich bod chi'n siarad yr iaith berthnasol ac yn meddwl ynddi'n ogystal? Iaith, a'r diwylliant sydd ynghlwm â hi, sy'n gwneud i rywun berthyn i genedl arbennig.'

Eto roedd rhai yn anwybodus, eraill ddylai wybod yn well, ac ambell un hyd yn oed oedd yn fwriadol ddichellgar yn ei alw'n Natsi, a phethau annheilwng eraill, fel petasai o wedi datgan mai trwy waed y mae neb yn Gymro. Llurgunio'r gwir a phedlera celwydd amdano wnâi pobl felly, er mwyn parddu'r dyn. Mor ddiweddar â Thryweryn, fe ddinistriodd y Saeson gymuned Gymraeg gyfan heb falio botwm corn, ac mae'r mewnlifiad parhaus yn dal i ddinistrio gweddill ein cymunedau. Os cyfyd Cymro lef yn erbyn y llif hwnnw, buan iawn y caiff ei alw'n ddyn hiliol. Er bod R.S. yn groyw ei lais yn datgan bod y mewnlifiad o Saeson yn lladd ein cenedl, roedd o 'run mor groyw ei lais hefyd wrth feirniadu'r Cymry am adael i'r sefyllfa barhau.

'Hawdd iawn ydy beio'r Saeson,' meddai, 'beth ydych chi a fi yn fodlon ei wneud i sicrhau dyfodol llewyrchus i'n cenedl yw'r cwestiwn.'

Rhyfedd, a minnau wedi bod yng nghwmni cawr, na fedrwn i gofio'r union ddyddiad y cyfarfuom ni gyntaf erioed. Er troi a throsi'r peth yn fy meddwl, alla i yn fy myw gofio'r amgylchiad hwnnw. Eithr tyfodd y cyfeillgarwch heb i mi sylweddoli rywsut, ac fe aeth â'r ddau ohonom i sawl ysgarmes hefo'n gilydd. Clywais ddweud erstalwm mai mesur gwir fawredd dyn yw bod pobl eraill wedi elwa o fod yn ei gwmni. Digon yw dweud fy mod wedi derbyn cyfoeth lawer gan R.S.

Dynoliaeth R.S.

Byron Rogers

(Ysgrif wedi ei chyfieithu o'r Saesneg)

Pan euthum ati i ysgrifennu fy llyfr *The Man Who Went into the West: The Life of R. S. Thomas* (Aurum) roeddwn yn rhyw fath o ad-dalu fy nyled bersonol i'r bardd.

Cyfarfûm ag R. S.Thomas am y tro cyntaf pan oeddwn yn ddwy ar bymtheg oed, a minnau bryd hynny nid yn unig y myfyriwr ieuengaf ym Mhrifysgol Aberystwyth, ond yn hynod anaeddfed yn ogystal. Cyn hynny, nid oeddwn erioed wedi bod oddi cartref am lawer mwy na hyd diwrnod ysgol.

Ar y pryd roedd o'n ŵr yn ei ddeugeiniau ac yn Rheithor Eglwys-fach, oddeutu deng milltir o Aberystwyth. Rywsut roedd wedi dod i wybod am f'ymdrechion i gyfansoddi barddoniaeth. Mae'n rhaid ei fod yn pryderu rhywfaint am eu safon oherwydd fe'm gwahoddwyd i'r rheithordy yn nhraddodiad Pencerdd yn rhoi cyngor i'w brentis. Bu'r gwahoddiad hwnnw'n fwy na digon o gymhelliad i'r prentis, oherwydd dechreuais ffawdheglu'n gyson am Eglwys-fach, a'm mhocedi'n orlawn o gerddi.

Wrth edrych yn ôl, roedd y mwyafrif ohonynt yn gerddi digon di-fflach. Yr hyn a gofiaf yn glir yw ei amynedd di-ben-draw hefo mi, ac awyrgylch yr ystafell oeraidd honno yn y rheithordy. Mor ddiwyd â chonsuriwr yn mynd i hwyl, tynnwn y 'cerddi' allan o'm pocedi, un ar ôl y llall. Roedd yna un am Jeanne d'Arc, o bawb, ac un arall am Isfahan. Yn fy niniweidrwydd doedd gen i ddim syniad lle 'roedd y fan honno, ond fe ddeallais ymhen blynyddoedd wedyn ei fod rywle yn nhueddau Iran.

'Hm. Yr ydych wedi bod yn brysur,' oedd ei sylw.

Eithr gallai ymwelwyr mwy diflas fod wedi galw i'w boeni, megis Deoniaid Gwlad neu Dystion Jehofa; ond nid llawer.

Mae'r adolygwyr a'r beirniaid llenyddol wedi ymdeimlo â rhyw anobaith yn treiddio trwy'i gerddi yn y cyfnod hwn. Efallai fy mod wedi cyfrannu at hynny. Y peth olaf y mae bardd ei angen yw cael ei boeni gan edmygwr ifanc a'i uchelgais farddonol yn bopeth iddo. Roedd o, wrth gwrs, wedi ennill ei blwy ac yn fardd enwog erbyn hynny. Anodd dirnad erbyn hyn sut yr oedd ganddo'r amynedd i roi ei amser i'w edmygwr anaeddfed.

Fe gofiwch am y cerddi byr a phrydferth rheiny o'i eiddo, fel pelydryn o haul gaeaf yn treiddio allan o'r llyfrau bychain hwylus a gynhyrchai'r cyhoeddwr Rupert Hart-Davis. Yn ychwanegol, edrychai fel bardd, ac roedd hynny'n hanfodol i'w edmygwr ieuanc. Efallai ei fod o'n edrych fel rhyw feudwy gwachul o'r Oesoedd Canol yn ei henaint, ond pan gerddem y bryniau uwchlaw Eglwys-fach ar ambell brynhawn, fe haerwn fy mod yn cyd-gerdded ag un o'r duwiau.

Roedd o'n medru bod yn ddigri a llawn hwyl hefyd. Roedd hynny'n peri dryswch i mi. Nid yw edmygwyr ieuainc yn rhy hoff o dduwiau sy'n dweud straeon digri. Dryllio'r delwau wna hynny.

Gwisgodd lawer mantell arall wrth fynd yn hŷn.

'My father was an act-or,' meddai ei fab, Gwydion.

Wedi iddo ymddeol o'i fywoliaeth eglwysig, ymdebygai yn ei wisg a'i osgo i ryw frigadydd diflas ar adegau. Wedyn daeth cyfnod y dyn gwyllt, yr hen sinach blin fyddai'n cau drws Sarn Rhiw'n glep yn wyneb pobl ddieithr, gan roi'r bai ar y gwynt.

Fe'i gwelaf yn sefyll yn dalsyth o flaen y lle tân yn rheithordy ei ofalaeth olaf yn Aberdaron. 'Rydym yn cael chwe mis cyfan o aeaf yn fan hyn, wyddoch,' meddai'n fostfawr. Er pleser mawr i'r wasg Saesneg, roedd o wedi datblygu'n gymeriad.

'Fe glywsoch y stori honno,' meddai gwraig wrthyf ar y ffôn wrth holi ynghylch fy llyfr, 'am y Cymro gwallgo sy'n rheithor Aberdaron ...'

Eithr nid rheithor gwallgof o Gymro oedd R.S. Ef, yn hytrach, yw un o'r beirdd, os nad y bardd telynegol mwyaf, a ysgrifennodd yn yr iaith Saesneg erioed.

Roedd yn ŵr hwyliog a charedig, yn enaid bregus hawdd ei frifo hefyd. Roedd hynny'n cael ei guddio'n aml gan y dyn gwyllt a'r brigadydd, cymeriadau a chwaraeai'n fynych.

Wrth ysgrifennu ei gofiant, roeddwn yn awyddus i roi sylw i'w ddynoliaeth. Efallai nad yw'r bardd mawr byd-enwog yn cerdded drwy bob tudalen o'm llyfr, ond y mae'r dyn a adnabûm yn camu drwyddynt.

'Dydi bardd yn ddim ond ei waith. Dydi popeth arall yn ei gylch yn ddim ond clebran a manion bethau,' meddai'n fawreddog wrth un o'i

gymdogion. Eithr fe dynnwyd ei draed yn ôl tua'r ddaear gan ymateb hwnnw. 'Wel, R.S. bach, heb y clebran a'r manion bethau, ni fyddai'r dyn erioed wedi bodoli, a heb y dyn, ni fyddai'r bardd wedi anadlu chwaith.'

Cyflwyno'r dyn hwnnw yw unig ddiben bywgraffiad llenyddol. Oherwydd drosto fe ymrithia'r golau sy'n gallu creu rhyfeddodau, yr adlewyrchiad o'i dalent.

Daeth ambell anrhydedd i minnau yng nghysgod R.S. Roedd cael fy enwebu ar gyfer derbyn Gwobr Goffa James Tait Black ar gorn *The Man Who Went into the West* yn 2007 yn un achlysur felly. Braint oedd cael teithio i Gaeredin i'w derbyn. Hyderaf fy mod wedi gwneud hynny yn ysbryd y bardd, ac wedi talu fy nyled yn llawn iddo erbyn hyn. Taerwn mai R.S. oedd yn siarad trwof, wrth i mi draethu fy niolchiadau amdani:

Caeredin 2007

Rwy'n falch iawn o fod yma heno yn yr hen ddinas Gymreig, yn siarad yn yr iaith a siaredid yma gynt. Rydych yn gwybod am yr iaith honno, on'd ydych?

Fe wyddoch mai Edinburgh oedd y ddinas Gymreig Caer Eidyn – bwrdeistref Eidyn – Edinburgh. Fe wyddoch bod y gerdd hynaf a gyfansoddwyd yng ngwledydd Prydain ac sydd wedi goroesi hyd heddiw yn cael ei phriodoli i'r ddinas hon. Cyfansoddwyd hi yma mae'n debyg, oddeutu'r flwyddyn 600. Hon yw Y *Gododdin, Aneirin a'i cant.* Fe'i rhestrir yn gerdd Albanaidd gennych, ac fe'i cynhwysir yn eich blodeugerddi, ond fe'i hysgrifennwyd yn yr iaith Gymraeg. Canys yma y trigai 'Gwŷr y Gogledd'. Pa mor arswydus bynnag yw'r syniad i rai ohonoch, ni'r Cymry yw'r peth agosaf sydd gan diriogaeth y Scottish Lowlands at boblogaeth gynhenid. Hyderaf fod cael gwybod hynny yn eich sobri. Ni'r Cymry yw eich gorffennol.

Yn y seithfed ganrif gallai dyn fod wedi cerdded yr holl ffordd o Gaeredin i Gernyw yn siarad a chyfarch yn y Gymraeg gydol y daith. Heddiw, roeddwn i'n gyrru i'r gogledd, tuag yma, drwy dir a anrheithiwyd. Heibio i Elfed, hen deyrnas a fodolai yn yr ardal lle mae Leeds ein dyddiau ni. Heibio Rheged, hen deyrnas Carlisle. Drwy Ystrad Clud neu ddyffryn y Clud, a elwir yn Strathclyde gennych. Yno bodolai teyrnas Gymreig a oroesodd am dros chwe chan mlynedd. Glasgau, neu Glasgow i chi, oedd ei chanolfan weinyddol. Ie, chwe chan mlynedd. A dyma fi heno yn nheyrnas y Gododdin â'i chanolfan weinyddol yma yng Nghaeredin.

Do, dychwelais i hen ganolfan lywodraethol Mynyddog Mwynfawr a anfonodd ci filwyr a'i wŷr meirch ar siwrnai ddeheuol tua Chatraeth – Catterick heddiw – i ymosod ar y Saeson oedd yn dwyn ein tir ac yn difa ein pobl yno. 'Gwŷr a aeth Gatraeth'. Ar gyfer hynny buont yn ymarfer yn galed am flwyddyn gron. Ar y medd. Yn yfed medd am flwyddyn gyfan, ac mae'r ffaith iddynt ddod o hyd i Gatraeth, heb sôn am gyrraedd yno'n un darn, yn tystio i natur anorchfygol yr ysbryd dynol. Hon oedd y drychineb filwrol fwyaf yn ein hanes; hanes na fu erioed yn brin o drychinebau milwrol. Un gŵr, Aneirin, o fyddin o drichant, oroesodd frwydr Catraeth. Dychwelodd adref i'r ddinas hon i ganu ei arwrgerdd faith, ei alarnad i'w gyd-filwyr.

Beth a adawsom i chi? Dim llawer. Fu gennym ni erioed lawer. Gallech adnabod cestyll y Cymry, yn ôl un archaeolegydd: nid oedd dim i'w ganfod ynddynt. Eithr gadawsom ein henwau i chi, enwau lleoedd i chwi bendroni yn eu cylch: Melrose – 'Moelrhos'; Lanark – 'Llanerch'; Ecclefechan – 'Eglwys Fechan'; Peebles – 'Pebyll'. Dirgelwch hen ffosiliau ar eich mynegbyst, enwau o'r adeg cyn amser, eich amser chi.

Mae hi'n fraint cael fy ngwahodd yn ôl i'r tiroedd a gollwyd, yn yr hen ffordd hefyd: 'Er aur a meirch mawr, a medd feddwaist.' Dyna'r rheswm, mwy neu lai, pam y deuthum innau hefyd: y medd a'r meddwi. Hyd yn oed os ydi'r march mawr yn gyfystyr â Ford Mondeo ail-law efo 40,000 milltir ar ei gloc.

Fel Aneirin, deuthum innau adref.

Gŵr rhyfedd
a rhyfeddol

Robyn Léwis

Mae hi'n fraint arbennig cael y cyfle yma i sôn am y gŵr rhyfedd a rhyfeddol hwnnw R. S. Thomas, ddaeth i'n plith fel seren wib flynyddoedd yn ôl bellach.

Pan fyddwch yn mynd efo car i Gaerdydd, rydych yn pasio pentref o'r enw Bochryd, yr ochor yma i Aberhonddu. Ddo' i 'nôl at Bochryd mewn eiliad. Mae yno gofgolofn i'r rhai a gollwyd yn y Rhyfel Cynta. Fe ddaeth R.S. yn enwog trwy ei farddoniaeth. Fe ddaeth yn ddrwg-enwog drwy ei wleidyddiaeth, a oedd, yn ôl rhai, yn mynd dros ben llestri.

Yn ystod yr wythdegau fe losgwyd â fflamau tân dros gant a hanner o dai haf yng Nghymru, a dyma pryd yr aeth R. S. Thomas dros y tresi, yn ôl rhai. Fe ddywedodd, neu fe honnir iddo ddweud, fod eiddo yn llai o werth na bywyd. Holodd hefyd beth fyddai marwolaeth un Sais o'i gymharu â lladd cenedl gyfan? Hyn sydd yn mynd â fi'n ôl at gofgolofn Bochryd. Ar honno mae'r geiriau 'Who dies if Britain lives?' Hynny yw, mae'n iawn ei ddweud o yn y cyswllt Prydeinig, ond dywedwch o yn y cyswllt Cymreig, gwae chi. Fe gododd y *Guardian* y peth, yng ngholofn gŵr o'r enw Tony Heath, a sicrhaodd gyhoeddusrwydd a cham-gyhoeddusrwydd mawr i R.S. am yr hyn a ddywedasai. Cam bychan o fanno, yn ôl Heath, oedd cefnogi teroristiaeth, ac fe wnaed R.S. yn gocyn hitio. Fe ddiafolwyd y dyn a ninnau'r Cymry i'w ganlyn.

Cyn belled ag yr oedd y sefydliad llenyddol yn y cwestiwn, neu yn hytrach y 'literary establishment' llawn o'r hunan deitledig, roeddan nhw'n ei bortreadu fel gŵr cranclyd o ben draw'r byd. Sen gyfrwys a chynnil, arno ef a'i wlad.

Ar ôl iddo farw dangoswyd y darluniau ohono yn hen ŵr, yn hepian a glafoeri. Anwybyddwyd yr R.S. hynod hardd, cadarn, balch a gosgeiddig ac urddasol ei bryd, y wedd a welir yn y darluniau cynharaf. Fe ganodd Twm Morys gywydd i R.S., cywydd sydd yn cyfeirio at y pictiwr y mynnai'r wasg Seisnig dynnu ohono. Pictiwr rhwydd iawn, heb erioed adnabod y dyn! Hyll iawn yw eu lluniau ohono: R.S. sych yn ei ddrws, a'r R.S. oer, digroeso. Wydden nhw ddim am yr R.S. arall.

Fe wyddai Syr John Betjeman, a doedd Syr John Betjeman ddim yn Gymro a chanddo asgwrn Cymreig i'w grafu. Bardd llawryf Brenhines

Lloegr neu *poet laureate* yn eu hiaith nhw. Syr John dalodd gydnabyddiaeth i athrylith R.S. yn rhagair *Song at the Year's Turning*, a gyhoeddwyd yn 1955, pan oedd R.S. yn ddwy a deugain oed. Dyma'r gydnabyddiaeth fawr gyntaf, ac meddai John Betjeman yn y rhagair, 'Bydd yr enw (sef fo ei hun) sydd â'r fraint o gyflwyno'r bardd coeth hwn yn awr i gynulleidfa ehangach, yn angof ymhell cyn yr anghofir enw R. S. Thomas.' Ychwancgodd Betjeman mewn man arall fod R.S. yn un o'r chwe bardd mwyaf erioed yn yr iaith Saesneg, gan gynnwys Milton a Shakespeare. Fedra'i ddim cytuno nac anghytuno ond mae o'n gebyst o ddweud mawr, yn enwedig i rywun o'r tu allan i Gymru, un nad oedd o'r gorlan fach hon.

Pan fu stŵr ynghylch marina Pwllheli, fe sicrhawyd gwrthwynebiad i'r garfan oedd yn gwrthwynebu'r datblygiad, drwy annog caridyms Pwllheli – mae Pwllheli yn dref philistaidd iawn, mae wedi bod felly ers dyddiau Saunders Lewis – i ddod yno i heclo ac i ofyn cwestiynau. Fe restrwyd rhag blaen yn y wasg pwy fyddai'n siarad yn y cyfarfod, yn eu plith nhw R. S. Thomas. Er mwyn i bawb o blith gwrthwynebwyr y gwrthwynebwyr wybod pwy oedd o, fe'i disgrifiwyd fel 'R. S. Thomas – Local Poet'. Dwi'n deall mai'r term am 'local poet' yn Gymraeg ydi 'bardd gwlad', ac ar y pryd, roedd R. S. Thomas wedi ei enwebu am wobr Nobel am lenyddiaeth!

Ar ôl ei farw, bûm mewn cyfarfod teyrnged iddo ym Mangor. Mae 'na eraill oedd yn y cyfarfod hwnw ym Mangor fyddai'n gallu adrodd y stori hon wrthych. Daeth pobl o bell ac agos, o dros y ffin a phellach na hynny. Clywyd un yn dweud wrth un arall, 'I hope they don't speak too much Welsh'. Pe bawn i wedi ei glywed, (biti na chlywais i mohono), fe fyddai wedi cael llond ei gratsh yn yr iaith fain yn y fan a'r lle, (mae gen i grap ar honno ac mi fyddai wedi cael deall). Eitha eironig oedd i Menna Elfyn a Gillian Clarke ddweud wrth y cyfarfod, yn y ddwy iaith, fod R.S. un tro wedi cyffelybu cyfieithu barddoniaeth i gael cusan drwy hances boced. Does gen i ddim profiad fedr gadarnhau na gwadu'r gosodiad yna.

I R.S. wrth gwrs, ei iaith gyntaf, mae'n rhaid cofio, oedd y Saesneg, ac yn wir Saesneg uchel ael a chaboledig iawn. Fe ddywedodd Melvyn Bragg rywdro, pan oedd R.S. yn traethu ac yn llefaru yn ei Saesneg coeth, ei fod yn gwneud i Frenhines Lloegr swnio'n gomon!

Darllenodd ei waith yn Rhydychen un tro i lond neuadd o Saeson craff, diwylliedig a barddonllyd. Anerchodd R.S. nhw yn ei Saesneg coeth, Saesneg gwych ei gywirdeb, a ddenai edmygedd y gynulleidfa. Ar y diwedd, fe ofynnodd y cadeirydd iddo (yn Saesneg), 'Pwy yw eich hoff fardd chi, Mr Thomas?' Ac meddai R.S., 'My favourite poet, let me see. Hm.' Saib wedyn cyn ychwanegu, 'Hm, Gruffudd ab yr Ynad Coch, naturally.' Gallwch ddychmygu sut yr aeth honna i lawr yn Rhydychen. Roedd o'n medru pigo swigen y Sais pan fynnai!

Y tro cyntaf i ni gyfarfod erioed oedd yng Nghyngor Llŷn. Mi gafodd ei ethol yn aelod, ac roeddwn innau ar y pryd yn digwydd bod yn aelod. Roedd Cyngor Llŷn yn cynnal ei weithgareddau i gyd yn uniaith Gymraeg, ond nid oedd rhai o'r aelodau a'r swyddogion yn rhy siŵr sut i ymateb i R.S. Roeddan nhw'n meddwl bod ymddygiad cwrtais yn gyfystyr â siarad Saesneg hefo fo! Pan ddaru nifer ohonyn nhw ddechrau siarad Saesneg efo fo dyma R.S. yn gwylltio'n gacwn cyn bytheirio, 'Os clywa i air o Saesneg o'ch genau chi eto wna i ddim twllu'r Cyngor 'ma byth!' Buan iawn y newidiwyd pethau!

Cefais y fraint – 'roedd hi yn fraint yn fwy na phleser – o fynd efo fo i Aberystwyth fwy nag unwaith yn y car. Dim ond ni'n dau, ac mae hi'n daith ddwy awr bob ffordd o Lŷn i Aberystwyth. Felly roeddwn yn cael pedair awr o'i gwmni bob tro roedden ni'n mynd. Wna i ddim dweud mod i wedi mwynhau'r sgyrsiau i gyd, ond fe ddysgais lawer iawn, iawn am lawer iawn, iawn o bethau. Roedd yn addysg bod yn ei gwmni. Dyna pryd yr oedd o'n sôn am hwn a'r llall wrth gwrs, ac yn bwrw ei lach ar rai o'i gyd-Gymry, neu y Sais-Gymry fel yr oedd o'n eu galw nhw.

Wel, dyma'r gŵr paradocs eto a fu'n byw yn Eglwys-fach yng Ngheredigion, ac a anfonodd ei fab, Gwydion, i ysgol fonedd yn Lloegr pan oedd digon o ysgolion Cymraeg yn Aberystwyth gerllaw, ond dyna, wrth gwrs, oedd paradocs R.S.

Mae Byron Rogers yn ei gofiant iddo yn ei ddyfynnu. 'Maen nhw'n dweud fy mod i'n gleniach yn Gymraeg,' meddai R.S. un tro. Cleniach? Mi faswn i'n dweud ei fod o'n dipyn bach mwy dymunol efallai, ond fyddwn i ddim am y byd wedi hepgor y profiad o fod wedi ei gyfarfod fel y gwnes i, ac wedi ei adnabod, os daru mi ei adnabod yn wir!

Cofio Penyberth

Geraint Jones

Ganol yr wythdegau roedd y sôn am wynebu'r mewnlifiad yn ei anterth, pan gynhaliwyd Rali Dadorchuddio Cofeb Penyberth a'r gwrthdystio ffyrnig gan Bwyllgor Amddiffyn Dwyfor ac eraill yn erbyn y cynlluniau gwallgof i godi cannoedd o dai haf ym Morfa Bychan yng nghwmwd Eifionydd.

Cynhaliwyd Rali Penyberth bnawn Sadwrn 6 Medi 1986, adeg cofio hanner canmlwyddiant llosgi'r Ysgol Fomio, cofio'r tân gogoneddus yn Llŷn. Daeth dros fil o bobl i'r rali i wrando ar chwe anerchiad ac i fod yn dystion i'r dadorchuddio a wnaed gan Margaret E. Valentine (gweddw Lewis Valentine), Mair Saunders Jones (merch Saunders Lewis) ac O. M. Roberts. Llywyddwyd y rali gan Owain Williams, a'r siaradwyr (yn y drefn yma) oedd O. M. Roberts, Ieuan Wyn, Geraint Jones, R. S. Thomas, y Parchedig Evan Lynch a Neil ap Siencyn.

Roedd y wasg yno hefyd, yn bennaf i ymborthi'n obeithiol ar abwydon R.S. Cawsant eu sgŵp arferol a chipiodd gwaedgwn y wasg a'r cyfryngau ddau air – dim ond dau air – 'byddin gudd'. Aeth adrannau newyddion radio a theledu, *Stondin Sulwyn* a'r papurau newydd, yn wallgo am ddyddiau lawer.

Yn dilyn y telediad newyddion o'r rali a'r holl sylw roddwyd i'r ddau air 'byddin gudd', cafwyd llythyru trwm i'r wasg, a'r gelynion yn glafoerio wrth ymosod ar bob un o'r siaradwyr, ond yn arbennig R.S. Dyma un enghraifft o'r gwenwyn nodweddiadol a chwydwyd gan lythyrwraig ddiogel-ddienw yng ngwterydd y wasg Saesneg. Dyfyniad byr yn unig: 'how shocking the call for a secret army from an old clergyman to fight law and order when we already suffer from a secret army of drug-pushers. I am ashamed to be associated with these dregs.'

Beth, tybed, fyddai ymateb R.S. ei hun i'r fath chwydfa? O'r diwedd, wedi hir a dyfal chwilio i ddyfnderoedd ei enaid a'i gymhellion enbyd, fe ymatebodd â llythyr anfarwol yn yr *Herald Cymraeg* yn egluro'n fanwl a gonest yr hyn a olygai ef pan ynganodd y geiriau chwyldroadol 'byddin gudd'.

Dyma'i lythyr:

A gaf fi gywiro'r camddyfyniadau a fu o'm hanerchiad ym Mhenyberth ar Fedi'r chweched. Beth wnes i yno oedd galw am fom niwcliar annibynnol i Gymru, er mwyn dysgu i genhedloedd eraill ein parchu! Wrth ateb y cwestiwn – 'A fydde chi'n barod i wasgu'r botwm?' gydag 'O, byddem' – caem ddangos i'r byd ein bod ni o ddifrif! Rydw i'n cyfaddef y byddai hyn yn gostus, gan arwain at gau ysbytai ac ysgolion ac atal rhag y cynghorau arian angenrheidiol i wneud gwaith cymunedol, ond mae'n sicr gen i y cytunai pob Cymro rhesymol, yn enwedig y Torïaid, y byddai yn bris bach i'w dalu am gadw Cymru'n fawr.

Gallodd *Y Faner* ddatgan hyn ddiwedd 1986 – 'Blwyddyn y Gath oedd hi – cyhoeddwyd llyfr gan Pws, cynhwyswyd Captain Cat yn y Cydymaith, a llwyddodd Felix i greu cynnwrf ymhlith pob math o golomennod.'

Dyma'r anerchiad a draddodwyd yn Rali Penyberth gan R. S. Thomas – air am air o'r recordiad.

Yr Anerchiad

Unig blentyn fy rhieni o'n i, ac oherwydd bod fy nhad ar y môr mi syrthiodd y baich o'm magu ar fy mam. Ei dull hi o'm magu oedd bod yn gyfyng arna i. Unrhyw amser ro'n i'n dangos mod i'n dechrau mynd dros y tresi, roedd hi'n ... mi fyddai hi'n peri i mi deimlo mai fi oedd yr hogyn mwya drwg yng Nghaergybi i gyd, gyda'r canlyniad, wrth gwrs, i mi golli unrhyw hyder oedd yn naturiol i hogyn bach. Mi dyfais i fyny yn ddof ac yn llywaeth, yn ddi-dda, ddi-ddrwg.

Dach chi'n gweld y gymhariaeth, yn tydych? Dull fy mam, ar raddfa ehangach o lawer, ydi dull Lloegr o drin Cymru am y pedwar can mlynedd d'wetha, gyda'r un canlyniad – [ein] bod ni wedi troi yn genedl lywaeth, neis-neis, barchus, ddi-ddrwg, ddi-dda, wedi colli ein hyder, yn ofni tramgwyddo'r bobol barchus sy'n dŵad atom ni â llond eu pocedau o bunnoedd.

Yn wyneb y sefyllfa yna, mi benderfynodd y Tri ei bod hi'n bryd dangos i Loegr ac i'w cyd-Gymry [eu] bod nhw wedi tyfu i fyny fel y gwnes i yn nes ymlaen cyn gadael fy nghartre. Dangos i Mam – doeddwn i ddim yn barod i gymryd mwy. Ac mi ddangosodd y Tri yr un fath.

Doeddan nhw ddim yn barod i gymryd mwy gan y Saeson a'r cynffonwyr ymhlith eu cenedl eu hunain.

Hyder oedd gan y Tri a ddoth yma hanner can mlynedd yn ôl gan ddisgwyl y byddai eu gweithred nhw yn magu yr un hyder yn y bobl a fyddai'n dŵad ar eu holau. Ar ôl hanner can mlynedd, lle mae'r hyder hwnnw? Mae yna bobol sydd yn barod i ddweud wrtha i, 'O, mae'r hyder yma o hyd. Ond be fedrwn ni ei wneud?' Dyna'r cwestiwn mae'r bobl ifainc yn ei ofyn – 'Rydan ni'n barod i wneud, ond be fedrwn ni ei wneud?'

Wel, mae'n rhaid defnyddio'ch dychymyg. Mae'n rhaid cofio pan dach chi yn gwneud niwsans ohonoch eich hun, pan dach chi'n sefyll dros eich hawliau fel Cymro yn erbyn y Saeson, yn erbyn eich cyd-Gymry gwasaidd, taeog, sydd yn ceisio gneud i chi deimlo mai chi ydi'r hogyn mwya drwg sy'n bod. Cofiwch, pan dach chi yn y sefyllfa yma, fod yna bobol eraill, mewn mannau eraill trwy Gymru, yn gwneud yr un peth. Dach chi ddim yn clywed oherwydd y cyfryngau, y gafael sydd gan y wasg Seisnig, a'r cyfryngau Seisnig. Dach chi ddim yn clywed amdanyn nhw. Ond maen nhw yno.

A dyna beth sydd [ei] eisiau heddiw. Mae gan Loegr ei heddlu cudd. Mae eisiau gan Gymru fyddin gudd. Dw i ddim yn sôn am ddechra rhyfel, ond mwy a mwy ohonan ni sy'n barod i frwydro, i ffurfio'r fyddin gudd yma sydd yn brwydro yma ac acw yn erbyn y Saeson, yn erbyn yr heddlu, yn erbyn cyfraith Loegr, yn erbyn y Sais-Gymry sy'n bradychu Cymru, nes [ein] bod ni wedi ymffurfio yn fyddin gudd ddigon mawr ag i droi'r llanw sydd yn ein herbyn ni.

Dwi am orffen yr hyn sydd gen i i'w ddweud trwy gynnal fy Ngorsedd fach fy hun, a gofyn i chi sydd yma heddiw, yn wyneb haul a llygad goleuni, a oes hyder?

[Y dyrfa] : Oes!

Eto! A oes hyder?

[Y dyrfa] : Oes!

Tri chynnig i Gymro! Unwaith eto: yn wyneb haul a llygad goleuni, a oes hyder?

[Y dyrfa] : Oes!

Gawn ni weld!

Wynebu'r Mewnlifiad

Geraint Jones

COFIO R.S · CLENIACH YN GYMRAEG?

Roedd helynt Morfa Bychan a marina Pwllheli a llawer mater arall yn bynciau llosg ganol yr wythdegau, ac fe gynhaliwyd cyfarfodydd ledled Cymru i geisio ennyn gwrthwynebiad i nifer o gynlluniau twristaidd difaol. Trefnwyd y rhan fwyaf ohonyn nhw gan Bwyllgor Amddiffyn Dwyfor.

Daeth Steddfod 1987 i Ddwyfor, i ardal Morfa Bychan ei hun, i Borthmadog. A do, fe gafwyd cyfarfod mawr dan faner y Pwyllgor Amddiffyn yn fanno, a Phabell eang y Cymdeithasau dan ei sang ar gyfer cyfarfod a elwid, yn briodol ddigon, yn 'Wynebu'r Mewnlifiad'.

Meredydd Evans a minnau oedd y 'supporting artists' ar y llwyfan hwnnw, a chofiaf ofyn i Merêd ar y llwyfan cyn dechrau, 'Pa nyth cacwn ddaw o Lŷn i Eifionydd y pnawn 'ma, tybed?' Nyth cacwn R. S. Thomas fyddai hwnnw, siŵr iawn, nyth cacwn go nobl, heb os. Yng nghorff ei anerchiad, wedi iddo adrodd y stori Wyddelig am Caitilín Ní Uallacháin (Cathleen Ní Houlihan), ynghyd â stori anfarwol y cyw teigar a'r Saeson a siaradai Deigreg (iaith teigr), llefarodd R.S. un frawddeg allweddol, brawddeg roedd y wasg a'r cyfryngau wedi gobeithio ei chael. Syrthiodd manna o'r nef ar arffed y wasg, ac fe gafodd ei sgŵp ddisgwyliedig, ac awdurdodau'r Steddfod eu cathod bach arferol.

Llywydd y cyfarfod oedd Dafydd Iwan, ac mae'n amlwg i hwnnw hefyd gael cathod bach, gan neidio ar ei draed ar ddiwedd yr anerchiad ac yn syth am gorn gwddw R.S. Fe'i datgysylltodd ei hun yn llwyr – yn gyhoeddus ddigon – oddi wrth sylw'r bardd y byddai hwnnw'n cyfiawnhau unrhyw beth, ie, unrhyw beth, i achub y Gymraeg. Yn y gynulleidfa roedd un o gefnogwyr selocaf R .S. Thomas, sef Owain Williams, Gwynus, ac fe gerddodd o allan o'r cyfarfod mewn protest, wedi gwylltio'n gaclwm â datganiad di-alw-amdano Dafydd Iwan.

A dyma'r anerchiad hwnnw'n gyflawn – anerchiad cofiadwy R. S. Thomas, yn dalsyth bendefigaidd yn ei glogyn gwyrdd, yn y cyfarfod yn Steddfod Porthmadog fis Awst 1987 – 'Wynebu'r Mewnlifiad'.

Yr Anerchiad

Wel, gyfeillion, dim ond dwy stori fach fer sydd gen i heddiw – un am ddrama fer W. B. Yeats, Cathleen ní Houlihan, a osodwyd yn y cyfnod ar ddiwedd y ddeunawfed ganrif, pryd yr oedd Iwerddon yn meddwl am wrthryfela ac yn disgwyl llynges o Ffrainc i'w cynorthwyo nhw. Yn y ddrama mae 'na hogyn ifanc o'r pentre am briodi â hogan ifanc o'r un pentre, ac maen nhw'n cael neithior noson cyn y briodas. Fel maen nhw'n eistedd yn y stafell, dyma hen wraig yn dod i mewn a'r darpar ŵr yn dechra sgwrsio â hi a gofyn iddi pwy oedd hi.

'Beth ydi'ch enw chi?'

'Mae rhai yn fy ngalw i "Yr Hen Wraig Druan," ' meddai hi, 'ond mae eraill yn fy ngalw i yn Cathleen ní Houlihan.'

Fel rydach chi'n gwybod, Cathleen ní Houlihan oedd symbol Iwerddon. Roedd pobol fel Pádraig Pearse yn caru Cathleen ní Houlihan yr un fath ag yr ydach chi a minnau'n trio caru Cymru. Ac fe aeth ymlaen i sôn am ei thrafferthion a'i helyntion.

'Lle dach chi'n byw?'

'Sgin i ddim tŷ. Rydw i'n gorfod crwydro'r lonydd.'

'Pam hynny?' gofynnodd y darpar ŵr.

'Gormod o bobol ddiarth yn y tŷ,' meddai hi, 'gormod o bobol ddiarth yn y tŷ.'

Fe aeth y sgwrs ymlaen, a dyma'r crochlefain tu allan, y gweiddi'n cynyddu, disgwyl y Ffrancod.

'Mae'n rhaid i mi fynd,' meddai'r hen wraig, ac wrth fynd drwy'r drws mi drodd i edrych ar y darpar ŵr, a doedd yna ddim byd amdani ond iddo fo fynd i'w chanlyn hi, a gadael ei gariad, a mynd ar ei hôl hi i ddisgwyl am y Ffrancod. Ac mi ddaru'r cwmni aros, wedi cael tipyn o syfrdandod – gweld dyn yn gadael ei gariad i fynd ar ôl yr hen wraig 'ma. Ac mi ddoth rhyw ddyn arall i'r tŷ, a dyma gŵr y tŷ yn gofyn iddo, 'Welsoch chi ryw hen wraig hyd y lôn 'ma?'

'Naddo, wir,' meddai'r dyn, 'ond mi welais i eneth ifanc, y brydferthaf erioed. Yr oedd hi'n cerdded fel brenhines.'

Ni sydd yn meddwl bod Cymru wedi mynd yn hen, ydan ni'n

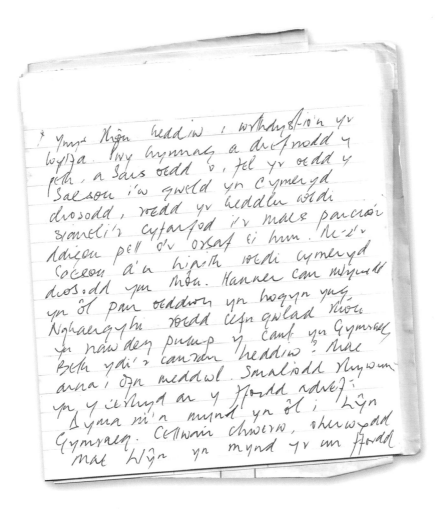

sylweddoli tasa ni'n rhoi'r cariad a'r teyrngarwch sy'n ddyledus iddi, buasai'n gallu troi yn ifanc eto? Dyma'r neges gyntaf.

Mae'r ail stori am deulu yn Lloegr ddaru fabwysiadu cyw teigr. Roedd o'n ddel, fel y mae cywion yn gallu bod yn ddel. Roedd y teigr bach yn gwenu arnyn nhw, a nhwtha'n dotio ato fo ac yn ei fwytho fo, ac yn trio siarad iaith teigr. Ond yn anffodus, fel rydach chi'n gwybod, mae cywion yn tyfu, ac mi ddaru'r cyw hwn ddechrau tyfu, ac mi aeth gŵr y tŷ i gael gair hefo'i wraig, a dweud, 'Yli, os ydi hwn yn mynd i dyfu fel hyn, mi aiff yn beryg i tithau a minnau ac i'r plant. Mae'n well i ni gael gwared arno fo cyn iddo fo fynd yn beryg.'

A dyna wnaethon nhw – ei droi o dros y rhiniog. Saeson oedd y rhain.

Dach chi'n gwybod, dach chi wedi clywed digon y pnawn 'ma i wybod bod ein cenedl ni yn marw, yn cael ei lladd, yn cael ei boddi. Rydan ni wedi gweld ymateb y Gwyddelod – gwrthryfela. Rydan ni wedi gweld ymateb Saeson i'r teigr bach – ei droi o allan. Be ydi'n hymateb ni i fod i'r Saeson sydd yn ein lladd ni, ac yn ein boddi ni. Chi sydd i ddweud. 'Dydw i ddim yma i annog trais. Rydw i wedi bod yn offeiriad yn yr eglwys. Nid fy musnes i ydi annog trais – OND ... OND ... mae'r Saeson, mae'r mewnfudwyr yn lladd ein cenedl ni. Be ydach chi'n mynd i'w wneud? Tasa'ch gŵr neu'ch gwraig neu'ch plant yn wael iawn, mewn peryg marw, be fasa chi'n wneud? Fe fuasech chi'n gwneud unrhyw beth i'w hachub nhw.

Ylwch, mae'r genedl yn marw, yn cael ei lladd, yn cael ei boddi. Mae hyn yn cyfiawnhau UNRHYW BETH yr ydym ni'r Cymry yn barod i'w wneud – unrhyw beth. Ydi o'n gofyn gormod eich bod chi'n peidio â bod mor groesawgar i'r bobol yma, yn dechrau gwgu arnyn nhw, peidio â gwneud cymwynasau â nhw, peidio siarad eu hiaith nhw, peidio â mynd dan eu traed nhw? A phan maen nhw'n gofyn i chi pam – pam rydach chi wedi troi fel hyn? – yr ateb yw oherwydd eich bod chi yn lladd ein cenedl ni. Dyna pam. Dydw i ddim am fagu teigr yn fy ngwlad i.

O'r Austin Seven
i Bentrefelin

Emyr Humphreys

Doedd y cyfarfyddiad cyntaf hefo R.S. ddim yr hwylusaf i Elinor a minnau. Ystrydeb bellach ydy dweud ei bod hi'n amser caled iawn pan briodasom ni ym mil naw pedwar chwech, ond myn coblyn i, *yr oedd* hi'n galed. Roeddwn newydd ddychwelyd o'r Dwyrain Canol lle bûm yn gwneud gwaith dyngarol, â'm dwy boced yn wag, a thyllau ynddynt hefyd o ran hynny. Nid ar chwarae bach yr oedd rhywun yn dod o hyd i waith i geisio cau'r tyllau chwaith, ond bûm yn lwcus yn y cyfeiriad hwnnw, oherwydd fe lwyddais i gael swydd dros dro yn athro yn Llanfyllin yng nghanol 'Mwynder Maldwyn'. Y drafferth wedyn oedd dod o hyd i do uwch ein pennau, ac yn y diwedd, fe dderbyniwyd yn ddiolchgar drefniant i rentu dwy ystafell yn yr atig ym Mhlas Bodfach, ar gyrion y dref. Mae'n rhaid bod y perchennog, Mrs Miller yn teimlo'r wasgfa ariannol ddaeth yn sgîl y rhyfel fel llawer, oherwydd roedd hi wedi dechrau troi'r plas yn westy, i geisio gwneud ceiniog.

Prin ein bod wedi diosg ein cotiau a chael ein traed oddi tanom na chyrhaeddodd ein hymwelwyr cyntaf. Fe welais i'r cerbyd Austin Seven yma'n hwylio lawr y dreif ac yn aros o flaen y drws, cyn i ddau ddyn – yr un o'r ddau'n fychan o gorffolaeth – wthio allan ohono fel dau glagwydd yn torri allan i'r byd drwy blisgyn yr un wy! Ymhen dim roeddwn i'n ysgwyd llaw hefo R.S.Thomas a Keidrych Rhys, cyhoeddwr y casgliad cyntaf o gerddi R.S., *The Stones of the Field*. Dwi'n dal yn y niwl ynghylch sut yr oedd R.S. wedi dod i wybod am fy mhresenoldeb yn Llanfyllin, ond roedd y ddau wedi dod draw o Fanafon yng nghar Keidrych. Dwi'n dal i bendroni, hefyd, o ystyried bod Keidrych Rhys yn ddyn mawr tew, sut y medrodd y ddau wasgu i seddi blaen y bocs matsys hwnnw o gar.

Doedd gan Elinor a minnau, fel llawer arall ar y pryd, fawr iawn i'w fwyta yn y tŷ, ond roedd Mrs. Miller, chwarae teg i'w chalon, yn gwybod yn iawn am ein cwpwrdd gwag. Aeth ati'n ddistaw bach i bobi cacennau pestri bach crynion yn llawn cwstard wy, fel bod yna rywfaint o ddanteithion i'w cynnig iddynt. Roedd Elinor, fel minnau, wedi 'sgafnu drwyddi, bron iawn nad oedd y ddau ohonom yn canu hefo'r tecell wrth hwylio paned. Eithr diflannodd ysbryd y gân efo'r siom a'n lloriodd wedyn. Pan flaswyd y cacennau, roedd hi'n amlwg bod yr wyau ar fin mynd yn ddrwg, a rhyw flas eithaf sur, mewn mwy nac un ystyr, oedd iddynt! Fe allai'r profiad hwnnw fod wedi rhoi diwedd ar yr egin cyfeillgarwch rhyngom cyn iddo gael y cyfle i impio, ond mae'n dda gen i ddweud nad felly y bu yn ein hanes.Yn hytrach, tyfodd y cyfarfyddiad cyntaf hwnnw yn gyfeillgarwch oes. Gan na fûm i yn Llanfyllin yn ddigon hir, chefais i byth wybod yn iawn sut hwyl gafodd Mrs Miller ar redeg ei gwesty!

Daeth cyfnod Llanfyllin i ben yn llawer rhy sydyn i mi. Roeddwn wrth fy modd efo'r lle, ond roedd Elinor yn hiraethu am arogl y môr yn llenwi ei ffroenau tra buom yno. Serch hynny, chefais i ddim swydd athro yng nghyffiniau awelon yr arfordir. Yn Wimbledon y dois i o hyd i honno, ac wedi'r mudo, trwy lythyr ysbeidiol y byddai R.S. a minnau'n cysylltu. Llawer mwy pleserus oedd y seiadu wyneb yn wyneb a wnaem yn nyddiau difyr Llanfyllin. Roedd Elsi'n ddigon naturiol, oherwydd ei chysylltiadau hi â Wimbledon, yn llawn diddordeb yn ein hynt a'n helynt, ond cyn belled ag yr oedd R.S. yn y cwestiwn fe allwn i fod wedi symud i'r lleuad. Ychydig iawn welsom ni ar ein gilydd, os o gwbl, yn ystod fy nyddiau yno. A rhoi'r siom fy mod wedi methu cael gwaith yng Nghymru o'r neilltu, roedd y 'nofelydd anghall' chwedl yntau wedi symud i'r cyfeiriad anghywir yn ei olwg. Mae'r geiriau â ysgrifenodd y tu mewn i glawr y copi o *The Stones of the Field* a gyflwynodd yn anrheg i mi yn cadarnhau fy ffolineb! *'Oddi wrth fardd anghall – R.S – i nofelydd mwy anghall.'*

Efallai fod y ffaith bod gan Elinor hefyd gysylltiadau yn Wimbledon wedi gwneud mudo yno'n haws. Fe gymeron ni at ein cartref newydd yn fuan ac yno y dechreuon ni fagu plant. Un prynhawn o haf, fe glywodd y wraig oedd yn byw yn y fflat oddi tanom Elinor yn diddanu Dewi'r mab yn ei famiaith. Roedd hithau'n Gymraes! Doedd yr un ohonom wedi breuddwydio y gallai hi fod yn ddim byd ond Saesnes. Roedd hi'n briod â rhyw Sais imperialaidd ac ymladdgar iawn o'r enw Bradley, un oedd am ladd pob Almaenwr ac Eidalwr o fewn ei gyrraedd, a phan âi dros ben llestri doedd derfyn ar faes yr ymladdfa! Nest oedd enw'r gymdoges honno, ac fe ddaeth yn amlwg yn ystod ein sgyrsiau fyrdd wedyn mai merch Gwili, y bardd a'r Archdderwydd oedd hi. Daliaf i gofio bwrlwm ei llawenydd wrth iddi ganfod mai teulu o Gymry oeddem. Tybiaf ei bod yn ddynes unig iawn ar adegau yng nghwmni Bradley, ac roedd hi'n amlwg ei bod hi'n falch iawn o bob cyfle i sgwrsio hefo ni. Digwyddais sôn am yr hen Bradley a'i ragfarnau wrth R.S. flynyddoedd yn ddiweddarach pan oedd yn Eglwys-fach, ac awgrymodd y medrai fy nghyflwyno i o leiaf un Bradley, a phedwar o'i gefndryd ychydig bach llai imperialaidd eu bryd ymhlith ei blwyfolion yno!

Tra oeddem yn Wimbledon, dwi'n cofio trafod hefo fo fy nyhead i ennill fy mara drwy ysgrifennu. Doedd gen i ddim gobaith caneri wrth gwrs, ac felly bodloni ar ddysgu Saesneg, Ffrangeg ac Ysgrythur fu'n rhaid. Haws i Berson ymarfer barddoniaeth a phregeth! Arferwn dynnu arno drwy awgrymu nad oedd ganddo esgus, oherwydd ei bod yn llawer haws i fardd gyffwrdd pobl nag yw hi i nofelydd.

Wrth i'r plant dyfu, gwyddwn fod yn rhaid i ni, rywsut, ddychwelyd i Gymru os oeddan nhw am dyfu yn sŵn eu mamiaith. Doedd dim dewis ond chwilio am swydd arall, a llwyddais i gael un ym Mhwllheli. Dyna pryd yr ail gydiodd fy nghyfeillgarwch ag R.S. Roedd ar fin symud o Fanafon i Eglwys-fach erbyn hyn, ac fe lwyddon ni'n rhyfeddol i gadw'r cysylltiad, yn bennaf drwy ein gweithgarwch ynglŷn â'r Blaid. Cyn bo hir, daeth gwahoddiad drwy gyfaill amser rhyfel i fynd i fyw a gweithio yn Awstria, a chan fod ynof ryw ysfa gref erioed i 'droi'n alltud ambell dro', doedd yna ddim gwaith perswadio arnaf. Dyma ddechrau cyfnod arall heb fawr o gysylltiad rhyngom, ond fe ailgydiodd hwnnw wedyn yn fuan wedi i ni ddychwelyd yn deulu drachefn i Bwllheli.

Mae'n rhaid bod natur grwydrol yn perthyn i mi, oherwydd roeddwn i a'r teulu'n symud eto ganol y pumdegau, tua Chaerdydd y tro hwn, pan euthum i weithio i'r BBC. Bu'r deng mlynedd y bûm hefo'r Gorfforaeth Ddarlledu yn fodd i'n tynnu'n nes at ein gilydd. Daeth cyfle i weithio ar ffilm yn seiliedig ar un o ychydig gerddi hir R.S., *The Airy Tomb*. Gwnaed rhywfaint o'r gwaith ffilmio yn Eglwys-fach a'r gweddill

ar stad Dinefwr. Rhwng y ffilmio byddem yn sgwrsio llawer ac yn aml iawn âi'r sgwrs i gyfeiriad yr adar. Pe na bawn i ond wedi cymryd mwy o ddiddordeb, roedd ganddo gymaint o wybodaeth amdanynt. Fe'i cofiaf yn fy nghyfeirio at ehedydd prin yr oedd wedi sylwi arno un prynhawn. Methwn â deall sut yn y byd yr oedd wedi llwyddo i gael cip arno ar ganol sgwrs ddigon diflas am ofynion saethu'r darn nesaf o'r ffilm! Eithr sylwi a wnaeth, ac fe ddysgais i rywbeth am ehedydd y coed a'i gynefin ymysg y pinwydd y prynhawn hwnnw. Mae un ffaith, sef nad yw'r aderyn i'w gael o gwbwl yn Iwerddon, yn dal wedi'i serio ar fy nghof o hyd, ond chofia i mo'r holl fanylion eraill a ddatgelodd amdano bellach.

Yr Arglwydd Dinefwr, dyn oedd yn awyddus iawn i fod yn Gymro, oedd yn talu costau'r ffilm. Roedd ysfa'r gŵr i ail ddarganfod ei wreiddiau a Chymreictod ei deulu'n talu hefo R.S., ac roedd y ddau'n cyd-dynnu'n ardderchog. Am R.S., gwyddwn yn iawn, wrth gwrs, bod yna straeon yn cylchredeg amdano, ymron ddeugain mlynedd cyn dyddiau'r anghenfil – 'the ogre of Wales' – a awgrymai ei fod yn gallu bod yn ddyn anodd gwneud hefo fo. Welais i erioed mo hynny, - mae'n rhaid dweud fy mod wedi ei gael y creadur hawsaf i gydweithio ag o bob amser. Roedd o'n arbennig felly, a dweud y gwir.

Roedd angen bedd agored ar gyfer un olygfa yn y ffilm, a gwnaed twll ar un o barciau'r stad. Doedd dim sôn am ofynion Iechyd a Diogelwch bryd hynny, ac yn anffodus, yn absenoldeb unrhyw ffens, fe syrthiodd dyniawed i mewn i'r twll yn ystod y nos. Roedd y beiliff yn ffrom iawn hefo ni, ond roedd ei feistr yn llawer mwy rhesymol. 'Wel, ei anifail o oedd o,' oedd ymateb chwareus R.S.!

Chawsech chi ddim cystal cwmni ag o ar chwarae bach. Bob tro y byddem ni'n cyfarfod, boed hynny yng Ngregynog, Eglwys-fach, Aberdaron, Sarn Rhiw, Llanfair-yng-Nghornwy – ble bynnag – byddai'r ddau ohonom yn mynd i gerdded. Doeddwn i ddim yn yr un cae ag o fel cerddwr, a chawn drafferth weithiau wrth geisio dal i fyny ag o. Roedd ganddo gamau breision, pwrpasol, fel pe bai ar frys, ac nid oes cof gen i amdano'n fyr ei wynt ar yr un o'r troeon hynny. Dwi'n cofio bod yng

Kyffin Williams, Emyr Humphreys ac R.S.

Ngregynog ac yntau yno'n darlithio. Yn y prynhawn buom yn cerdded y llwybrau o gwmpas y plasty, a phan oeddem ni'n dilyn llwybr trwy un o'r coedlannau fe ddaeth dwy wraig ifanc i'n cyfarfod. Dieithriaid feddyliwn i, ond dyma nhw'n ei gyfarch yn wresog, 'Well hello, Mr Thomas.' Byddai wedi bod yn ysgol i'r rhai sydd wedi bod mor barod i ddifrïo'i gymeriad petae nhw wedi bod yno. Fe fydden nhw wedi cael golwg newydd arno.Ymatebodd yn glên a chynnes, ac fe fuon nhw'n sgwrsio am dipyn go lew o amser. Plant oedd y ddwy pan oedd o ym Manafon, y ddwy yn aelodau yn ei eglwys, a'r ddwy mor falch o'i weld.

Caem groeso Ronald ac Elsi pan fyddai Elinor a minnau'n ymweld â nhw. Roedden nhw'n byw'n syml iawn, yn casglu ffrwythau o'r cloddiau a'r coedlannau i wneud jam, pobi eu bara a phethau felly. Roedd cael te yn Sarn Rhiw yn brofiad gwerth chweil. Byddai Elsi wedi hulio bwrdd yn llawn rholiau bara ffres a digonedd o jam cartra. Dysglaid o hufen hefyd o fferm Treheli gerllaw, a phlatiad enfawr o gacennau bach llawn cyrens y byddai R.S. yn ymffrostio mai fo oedd wedi eu pobi. A barnu oddi wrth eu blas, roedd ganddo le i ymffrostio. Cymraeg fyddai'r sgwrs yn ddieithriad, ac roedd gan R.S. Gymraeg perffaith. Doedd y ffaith mai yn Gymraeg y byddem yn sgwrsio'n mennu fawr ddim ar Elsi. 'You carry on talking Welsh,' ddywedai hi, ond doedd hi ei hun ddim yn bwriadu ei dysgu.

Roedd yna rhywbeth cyntefig ynghylch y darn gwreiddiol o fwthyn Sarn Rhiw, waliau o gerrig mawrion, llechfeini ar y llawr efo rhiciau rhyngddynt a rhyw ddrafftiau o gwmpas eich coesau. Byddai arogl tamprwydd yno ar adegau hefyd. Cofiaf Elsi'n amneidio ar Elinor i eistedd mewn cadair neilltuol yn ystod un o'n hymweliadau. Sylwodd hithau bod y gadair yn damp – hen bechod marwol y Cymry – ond eistedd fu raid!

Wedi colli Elsi, daeth Beti. Allech chi ddim honni ei bod hi'r dlysaf o ferched i wirioni yn ei chylch. Nid oedd ganddi ronyn o ddistadledd Elsi. O'i sigaréts i'w sgwrs, roedd yna rywbeth yn fawreddog yn ei chylch. Gan ei bod hi'n wraig gefnog, doedd yna'r un rhwystr i fwyta allan yn aml mewn gwesty neu fwyty go grand. Byddai Beti wrth ei bodd ar yr achlysuron hynny, ond dwi'n credu bod yr hen R.S. wedi dechrau diflasu ar yr holl fwydydd bras. Gallaf ddeall hynny, ac yntau wedi treulio oes yn bwyta at raid, a bwydlen Elsi ac yntau'n un syml ac iach.

Yn sicr, dynes wedi arfer hefo arian oedd Beti. Deallai werth cynyddol ei lyfrau. Ymwelai â siopau llyfrau arbenigol, i wybod i'r geiniog beth oedd gwerth yr argraffiadau cynharaf. Pan sylweddolodd hi fod copïau o *The Stones of the Field* yn newid dwylo am bum can punt a rhagor roedd hi wrth ei bodd. Eithr roedd hi yn ei nefoedd pan ddeallodd fod rhywun yn rhywle'n gofyn yn nes i fil am un ohonynt.

Pan symudon nhw i Bentrefelin, roedd rhywbeth yn wahanol o'u cwmpas. Erbyn hyn roedd o'n llesgáu a'r tân wedi marweiddio, ac roedd yna dipyn o frathu rhwng Beti ac yntau. Cofiaf fod yno 'run pryd â Kyffin. Roedd Kyffin yn genedlaetholwr mawr, ond chlywais i erioed mohono'n siarad Cymraeg, rhywbeth na fyddai wedi gorffwys yn esmwyth gan R.S. beth amser ynghynt.

Fedrai Elinor a minnau lai na thosturio wrth R.S. druan pan oedd yn yr ysbyty tua'r diwedd. Golwg unig gefais i arno a gwnaem ymdrech i alw i'w weld bob dydd. Chwith oedd edrych arno, y dyn graenus ag ydoedd, a phyjamas y creadur angen ei olchi. Gwnaeth Elinor y gymwynas honno fel bod ganddo un glân i newid iddo. Diolch i'r drefn, roedd ganddo arbenigwr gwerth chweil, meddyg caredig oedd yn mcddwl y byd ohono. Fûm i ddim yn ei angladd, ond cefais fynd i'r gwasanaeth coffa ym Mhorthmadog.

Doedd Gwydion a Beti ddim yn cyd-dynnu o gwbl. Pan ddeallodd hi fod R.S. yn gadael pob dim i'w fab yn ei ewyllys, roedd hi'n anhapus. 'Blood is thicker than water,' meddai wrthyf wrth ddatgan ei hanfodlonrwydd. Go brin ei bod angen poeni am arian, a hithau mor gefnog.

Mae llawer wedi ei wneud o'r berthynas rhwng y tad a'r mab. Tybiaf fod gwreiddyn yr helynt yn y berthynas rhwng R.S. a'i fam. Roedd hi wedi ffwdanu llawer o'i gwmpas yng Nghaergybi gynt. Dwi wedi rhannu cymaint o atgofion hefo fo dros y blynyddoedd, ac felly'n gyfarwydd â chlywed ei farn yn ogystal â'i ragfarn amdani. Roedd hi wedi meithrin elfen o snobyddiaeth ynddo, drwy ei gadw allan o ffordd plant eraill a ystyriai hi'n israddol. Gŵr bonheddig oedd o i fod, yn ei golwg hi, ac roedd ei holl ymdrechion i'w gyfeirio tua'r offeiriadaeth yn fodd o sicrhau rhywfaint o'r statws hwnnw. Pan oedd yn yr ysgol uwchradd disgleiriai mewn chwaraeon, a chafodd ei hun o'r herwydd yn aelod o dîm criced preifat, oedd yn cael ei redeg gan ryw Cyrnol Williams – os cofiaf yr enw'n iawn – o Dŷ Mawr, Benllech. Fel y gellwch feddwl roedd ei fam ar ben ei digon, ond a bod yn deg â hi, roedd yn fyd heb lawer o gyfleon.

Ei ddanfon yn ddeunaw oed i'r Brifysgol ym Mangor wedyn, ar ôl bod ar ci thracd y nos yn crio am ei fod yn gadael y nyth. Oherwydd digwyddiadau felly, roedd ei fam wedi bod yn dipyn o broblem iddo. Fe'i cofiaf yn dweud cymaint ei gywilydd yn cyrraedd i ganol gleision Bangor a hithau i'w ganlyn. Yn ôl R.S., roedd y profiadau hynny wedi meithrin ofn yn ei galon y byddai Elsi'n difetha Gwydion yn yr un modd. Dywedai mai dyna'r rheswm pam yr anfonwyd o i ysgol breswyl. Flynyddoedd yn ddiweddarach, wrth bendroni ynghylch hynny, dywedodd i'r penderfyniad fod yn gamgymeriad mawr. Do, fe dreuliodd R.S. lawer iawn o'i amser yn pendroni ynghylch ei gamgymeriadau, hyd y diwedd. Ffynhonnell ei ddawn oedd ei ddioddefiadau.

Braint i mi oedd bod yn gyfaill iddo am gyfnod o dros hanner canrif. 'Chi' oeddwn serch hynny. Chlywais i erioed mohono yn galw 'ti' ar neb.

Nid oedd yn berchen ar gi na cheffyl. Ar ei ben ei hun y cerddai'r unigeddau. Coffa da a diolch fyth amdano.

Let despair be known
as my ebb-tide; but let prayer
have its springs, too, brimming,
disarming him; discovering somewhere
among his fissures deposits of mercy
where trust may take root and grow.

'Maen nhw'n dweud
fy mod i'n gleniach
yn Gymraeg.'

Ar ei ben ei hun y cerddai'r unigeddau
Coffa da a diolch fyth amdano

Wrth gyfeirio at adar prin, fe'i cofiaf yn dweud yn gellweirus, ac yntau wedi bod yn aros oriau i gael cip ar un ohonynt ym Mhorth Meudwy, ei bod yn werth yr aros. 'Go brin,' meddai, 'y byddai gen i'r amynedd i aros cymaint â hynny wrth Dduw!'